ESQUISSE
D'UNE ÉTHIQUE RELIGIEUSE JUIVE

DU MÊME AUTEUR

La Cabale, Paris, Payot, 1960, 1972, 1979, 1983, 1988.
Die Kabbala, Bern und München, Francke Verlag, 1966.
The Kabbalah, New York and Jerusalem, Feldheim Publishers, 1975, 1977.
La Cabala, Barcelona, Ediciones Martinez Roca, 1976 (deux éditions).
La Kabbala, Roma, Carucci Editore, 1981 (deux éditions).
Cabala, Tokio, Sobunsha, 1994.
A Cabala, São Paulo, Editora Colel, 1995.
Cabala, Bucureşti, Ed. Univers Enciclopedic, 1996.
Israël dans le temps et dans l'espace, « Thèmes fondamentaux de la spiritualité juive », Paris, Payot, 1980.
Israel in Zeit und Raum, Grundmotive des jüdischen Seins, Bern und München, Francke Verlag, 1984.
Israel in Time and Space, Basic Themes in Jewish Spiritual Thought, New York and Jerusalem, Feldheim Publishers, 1987.
Sagesse de la Kabbale, vol. I, Paris, Stock, 1986.
Sagesse de la Kabbale, vol. II, Paris, Stock, 1987.
Die Weisheit der Kabbala, Bern und Stuttgart, Francke Verlag, 1988.
Wisdom of the Kabbalah, New York and Jerusalem, Feldheim Publishers, 1991, 1996.
Sabedoria da Cabala, São Paulo, Editora Colel, 1995.
La Sabiduría de la Kabbala (sous presse), vol. I, Madrid, Ediciones Ríopiedras.
La Sabiduría de la Kabbala (sous presse), vol. II, Madrid, Ediciones Ríopiedras.
Intelepciunea Cabalei (sous presse), Bucureşti, Editura Hasefer.
Resisting the Storm, Memoirs, Jerusalem, Yad Vashem, 1987, 1995.
Un tison arraché aux flammes, Mémoires, Paris, Stock, 1989.
Lottando nella Bufera, Memorie, Firenze, Editrice La Giuntina, 1995.
Un taciune smuls flacarilor, Memorii, Bucureşti, Editura Hasefer, 1996.
Den Flammen entrissen, Erinnerungen, Tübingen und Basel, Francke Verlag, 1996.
El Moul P'nei Hasse'ara, Zikhronot, Jerusalem, Yad Vashem, 1990, 1995.
Yisraël Vechorachav, Jerusalem, Mossad Harav Kouk, 1994.
'Houkat Olam Verazei Olam, Jerusalem, Mossad Harav, 1996.
Juifs et Chrétiens : La Shoah en héritage, Genève, Labor et Fides, 1996.

Volumes d'hommages à Alexandre Safran

'Alei SHEFER, *Studies in the Literature of Jewish Thought*. Présenté à Rabbi Dr. Alexandre Safran, éd. par Moshe 'Hallamish, Ramat-Gan (Israël) Bar-Ilan University Press, 1990.
Ish BI-GEVUROT, *Studies in Jewish Heritage and History*. Présentée à Rabbi Alexandre Safran, éd. par Moshe 'Hallamish, Jérusalem, Day-Noy Press, 1990.

ALEXANDRE SAFRAN

ESQUISSE D'UNE ÉTHIQUE RELIGIEUSE JUIVE

Parole présente

LES ÉDITIONS DU CERF
PARIS
1997

Abréviations utilisées

TB = Talmud de Babylone
TY = Talmud de Jérusalem
Gen.R. = Genèse Rabba

(29, boulevard Latour-Maubourg
75340 Paris Cedex 07)
ISBN 2-204-05662-6
ISSN 0986-0126

ESQUISSE D'UNE ÉTHIQUE RELIGIEUSE JUIVE

Les termes « éthique » et « morale »
Source divine ou humaine de l'éthique et de la morale

Lorsque nous nous penchons sur quelques aspects de la conception juive d'une science qui a pour objet la juste conduite de l'homme, à savoir l'éthique, ou sur la manière de mettre en pratique les prescriptions d'une telle science, c'est-à-dire la morale, il nous apparaît que ces termes d'« éthique » et de « morale » ne sont pas appropriés.

En effet, le vocable grec *éthos*, qui veut dire « mœurs » et qui est à l'origine du mot « éthique », répond au vocable latin *mores*, qui signifie « mœurs » et qui est à l'origine du mot « morale ». Aristote considère l'éthique comme l'ensemble des constantes du comportement humain, et Kant considère la morale comme l'ensemble des facultés rationnelles universelles de l'homme qui doivent guider sa conduite. Toutefois, l'un et l'autre reconnaissent que l'éthique concerne l'appréciation du bien et du mal, et la morale considère leur application dans des actes qualifiés de bons ou mauvais. Mais tous deux voient la source de l'éthique et de la morale dans l'homme lui-même et donc, *a fortiori*, dans l'incohérence subjective de la raison humaine et dans l'inconstance des sociétés humaines [1]. Le judaïsme, lui, si soucieux de rectitude dans le comportement individuel et d'équité dans la vie sociale, se défend de fonder une éthique et d'inventer des valeurs morales.

La Torah (l'« enseignement divin »), notamment la halakhah *(la « Loi »), recouvre la morale. L'obligation morale est désignée par le mot* mitsvah *(« ordonnance » divine)*

Le judaïsme connaît une Torah (« enseignement ») qui a son origine en Dieu, et vit à travers les *mitsvot* (« commandements ») qu'elle transmet. C'est la *da'at Torah* (« savoir de la Torah ») qui indique au Juif ce que sont le bien et le mal [2], comment les distinguer [3] et plus encore comment transformer le mal en bien [4], pour que la créature humaine soit digne d'une vraie vie, telle qu'elle est voulue par son Créateur [5].

Or, la Torah, précise le Maharal (Rabbi Lœw de Prague, 1525-1609), signifie *halakhah* (« Loi [6] »). Cette Loi, bien que constante, « inchangeable », n'est point fixe, rigide, mais, comme l'indique son nom, toujours « en marche »,

---

1. *TB Soukkah* 52a ; *TB Avodah zarah* 5b. *Gen. R.* 16 et 34, 11 ; *Esther R.* 10. *Pesiqta Rabbati*, *Gen.* 8, 21. LE MAHARAL, *Dèrekh Hayyim*, *Avot*, p. 17 ; et *Beér ha-Golah*, II, p. 20.

2. *TB Sotah* 49a ; *TJ Berakhot* V, 2. *Zohar* III, 53b. R. JUDA HALÉVI (XIIe s.), *Kouzari*, III, 7. MAÏMONIDE (XIIe s.), *Michneh Torah, Hilkhot Temoura*, IV, 13. NAHMANIDE (XIIIe s.), *Hakdamah, Peiroush al HaTorah*. Voir *Nb. R.* 10.

3. *TJ Berakhot* V, 2.

4. *TB Nedarim* 32b. *Zohar* I, 96a, 144b. R. ISAÏE HOROWITZ, *Shenei Louhot HaBerit* (Jérusalem, 5730-5732), II, p. 100b.

5. Voir SEFORNO (XVIe s.), *Ad Deut.* 30, 19.

6. *TB Sanhédrin* 87a. LE MAHARAL, *Dèrekh Hayyim*, *Avot*, I, p. 15, 35 ; III, p. 120.

avec Dieu et les hommes [1]. Et le Hazon Ich (Rabbi Avraham Yechayahou Karelitz, 1878-1953) de souligner que la *halakhah* recouvre la plus grande partie de ce qu'on appelle morale. À tel point que l'obligation morale qui incombe à l'homme est généralement désignée dans le Talmud par le mot *mitsvah* [2].

L'homme ajuste sa raison et sa volonté sur la raison et la volonté de Dieu

Au vrai, le Juif est *metsouvé veossé* [3], il reçoit l'« ordre » de Dieu et « agit » donc en toute connaissance et en libre volonté ! Ce qu'on appelle communément morale se fonde sur la relation entre Dieu et l'homme.

L'homme ajuste sa raison et sa volonté [4], les deux ressorts de l'éthique et de la morale, sur la raison et la volonté de Dieu, principe de ce qu'on appelle éthique et origine de ce qu'on appelle morale. L'homme s'efforce d'élever sa volonté et de la conformer à Celle de Dieu. Le Juif est donc *metsouvé veossé* ; il est « ordonné » par Dieu et « fait » avec Dieu...

---

1. Voir Genèse 18, 19 ; Lévitique 18, 4 ; 26, 3. R. SHEMOUËL SHMELKE HOROWITZ (XVIIIe s.), *Divrei Shemouël* (Jérusalem, 5734), p. 82.

2. H̱AZON ICH, *Al Inyanei Emouna, Bitaḫon VeOd* (Jérusalem, 5714), III.

3. *TB Qiddouchin* 31a ; *TB Babba qamma* 38a, 87a. *Zohar* III, 82a ; *Tiqqouné HaZohar* 30 (74a). *Tosafot, ad TB Avodah zarah* 3b.

4. *Avot* III, 4. *Zohar* I, 24b. R. BAH̱YA B. ASHER (XIIIe-XIVe s.), *Ad Lev.* 27, 34. R. SAMSON RAPHAËL HIRSCH (1808-1888), *Der Pentateuch* (Francfort-sur-le-Main, 1893), *ad Gen.* 20, 5. R. A. Y. H. KOOK (1865-1935), *Orot HaKodesh*, 3 vol. (Jérusalem, 5710, 5723, 5724), III, p. 85.

Le Créateur et Sa créature privilégiée, l'homme, accomplissent ensemble l'œuvre de parachèvement de la création divine

En effet, tout ce que le Créateur a « fait » — œuvre splendide — doit être écrit « fait », c'est-à-dire parachevé par Lui, en coopération avec l'homme [1].

Rabbi Moïse Hayyim Luzzatto (Ramhal, 1707-1747) observe que le Créateur a intentionnellement laissé des « manques », des « vides » dans Sa magnifique création, pour que l'homme les découvre et les comble [2]. Le Créateur et Sa créature privilégiée accomplissent ensemble cette œuvre de parachèvement de la création, dans la mesure où est recherché par l'homme le but inscrit dans la pensée originelle créatrice : le bien. Alors l'homme devient l'« associé de Dieu dans l'œuvre de la création [3] », qui « se poursuit », « se renouvelle chaque jour grâce à la bonté divine [4] » à laquelle répond la disponibilité humaine. Utilisant la force que le Créateur lui offre et la matière qu'Il met à sa disposition [5], l'homme agit avec un légitime intérêt mais surtout avec désintéressement pour le *chem chamayim* [6] (« pour le nom des Cieux »), pour Dieu qui lui commande d'agir et dont le Nom est miséricorde, Créateur du bien. En retour, Dieu agit en tout pour le « bien » de l'homme *(le tov lakh)* [7].

---

1. *Gen. R.* 11, 7 ; *Nb. R.* 13, 1 ; *Petihta Esther R.*

2. R. Moïse Hayyim Luzzatto, *Pithei Hokhma* (Cracovie, 5640), 30, p. 33a-b ; 37, p. 49a ; 131, p. 108b. Voir *Tanhouma, Tazri'a.*

3. Voir *TB Chabbat* 119b.

4. R. Hayyim de Volojine (XVIIIe s.), *Néphech HaHayyim* (Vilna, 5634), I, 1.

5. *Lev. R.* 27, 2.

6. *Avot* II, 12 ; III, 3. *TB Berakhot* 63a ; *TB Bétsah* 16a. Maïmonide, *Chemonah Peraqim*, V et *Michneh Torah, Hilkhot Yessodei HaTorah*, V, 10. R. Moshé Isserles (Rema, XVIe s.), *Ad Choulhan Aroukh, Orah Hayyim*, 1, 1.

7. Deutéronome 10, 13.

Couronnement de la création : le bien

La création tout entière, que le Créateur a conçue conformément à la Torah qui Lui fait face [1], doit permettre à l'homme d'accomplir sa vocation. Dans le même but, la Torah et les *mitsvot* ont été préparées pour le conduire à son bien, à ce vrai bien que Dieu seul connaît parfaitement, car c'est Lui qui a fait l'homme et le monde où celui-ci occupe une place centrale [2]. C'est pourquoi la création, que le livre de la Genèse nous présente, dans ses étapes successives, au service de l'homme, atteint son couronnement dans la déclaration de Dieu : « C'était bien, *[tov]* » ; seul le bien plaît à Son regard et Lui donne la satisfaction que l'ouvrier attend de son œuvre.

Le bien relie Dieu et l'homme

Ainsi le *tov* (le bien), que la richesse de sa substance matérielle et spirituelle ne permet pas de circonscrire, est, selon la conception juive, le terme le plus adéquat pour désigner ce qu'on appelle communément morale : « Et il n'y a de *tov* que la Torah [3]. » Le *tov* unit Dieu et l'homme [4].

Le *tov* divin offert à l'homme et le *tov* humain accompli pour Dieu relient Dieu et l'homme. En d'autres termes, la *Torah mine hachamayim*, la « Torah qui vient des Cieux » et que Dieu donne à l'homme, et les *mitsvot lechem chamayim*, les *mitsvot* que l'homme accomplit sur terre « pour

---

1. *Gen. R.* 1, 1. *Zohar* I, 5a.
2. *TB Chabbat* 30b. *Eccl. R.* 7, 28. *Zohar* I, 208a.
3. *Avot* VI, 3. *TB Berakhot* 5a ; *TB Avodah zarah* 19b ; *TB Menaẖot* 53b ; *Kala* 8. *TJ Roch ha-Chanah* III, 8. *Tanẖouma, Re'ei* 8. *Zohar* I, 242b. LE MAHARAL, *Netivot Olam*, I, *Netiv Gemilout Ḫasadim* (Tel-Aviv, 5716), p. 58b.
4. CHELAH HAKADOCHE, II, p. 108a. LE MAHARAL, *Dèrekh Ḫayyim*, *Avot* VI, p. 215-216.

le nom des Cieux » et qu'il offre à Dieu, consacrent le mariage entre le Saint, béni soit-Il, et la communauté d'Israël[1].

Création matérielle du monde et création spirituelle du monde ; leur but commun, unique, est de permettre au bien de se répandre

La sagesse unique et la volonté créatrice, divines, se manifestent sous deux formes à deux moments donnés, à un seul but : le bien. Ces deux moments, celui de la création matérielle et celui de la création spirituelle, sont complémentaires.

Rabbi Hayyim Vital (1542-1620) commence son livre *Eits Hayyim (Arbre de la vie)*, qui contient l'enseignement de son maître Ari HaKadoche (Rabbi Isaac Louria), par ces mots : « Dieu, béni soit Son Nom, a voulu créer le monde pour *faire du bien* à Ses créatures et pour qu'elles méritent de s'attacher à Lui[2]... »

À cette création matérielle du monde, révélation faite par bonté, répond la création spirituelle du monde, elle aussi révélation faite par bonté ; cette dernière est représentée par la promulgation de la Torah sur le Sinaï : elle justifie et valorise la première[3]. Les sages d'Israël disent : « Dieu a voulu témoigner Sa bonté à Israël en lui donnant la Torah

---

1. R. Yehoudah Arié Leib de Gour (xixe-xxe s.), *Sefat Emet* (Jérusalem, 5731), II, p. 30-31.

2. *Michnah Berakhot* IX (*TB Berakhot* 54a) ; *TB Gittin* 34a ; Rachi (xie-xiie s.), *Ad TB Sanhédrin* 81b. R. Aharon HaLévi de Barcelone (xiiie s.), *Séfer HaHinoukh* (Jérusalem, 5721), *Mitsvah* 428. R. Hayyim Vital, *Eits Hayyim*, I. Ramhal, *Pithei Hokhmah*, 10b. R. Menahem Nahoum de Tchernobyl (xixe s.), *Me'or Einayim* (Lublin, 5688), *Vayéshev*.

3. *TB Chabbat* 88b. *Zohar* II, 84a.

et les *mitsvot* en grand nombre[1] », en leur accordant le « mérite » de garder la Torah et d'observer les *mitsvot*.

Or, la bonté est l'expression de l'amour. Dieu manifeste Son amour aux hommes pour que, à Son instar, ceux-ci manifestent leur amour les uns pour les autres. Et les *mitsvot* leur en donnent de nombreuses occasions. En effet, les *mitsvot* sont « en grand nombre ».

Le commandement de l'amour du prochain renferme tous les autres commandements de la Torah

Rabbi Aqiva (*tanna* — enseignant rabbinique de l'époque de la Michnah — du IIe s.) nous indique leur point de convergence. Il met en évidence la quintessence de ces nombreuses *mitsvot*, en affirmant : « “Tu aimeras ton prochain comme toi-même”, voilà le fondement de la Torah », la « grande règle » la « contenant » tout entière : *kelal gadol*[2]. En vérité, le commandement de l'amour du prochain *(kolel)* « comprend » potentiellement, « contient » virtuellement les autres commandements de la Torah, même pris au sens strictement juridique du terme. « Si les gens observaient la *mitsvah* de l'amour du prochain — affirme Rabbi Moïse Alcheikh (XVIe s.) —, ils observeraient par là même toutes les autres *mitsvot*[3]. » Or, toutes les *mitsvot* découlent de la *mitsvah* de la crainte de Dieu. « Méconnaître le précepte de l'amour du prochain signifie méconnaître le précepte de la crainte de Dieu », assure Rabbi Élimèlekh

1. *TB Makkot* 23b.

2. Lévitique 19, 18 et RACHI, *ad loc.* ; *Sifra*, *Kedoshim*, 4, 13 ; *TJ Nedarim* IX, 4 ; *Gen. R.* 24. MAÏMONIDE, *Peiroush HaMichnayot*, *Péah* I, 1 ; voir aussi *Séfer HaMitsvot*, *Mitsvat Assé* 204 ; et *Michneh Torah*, *Hilkhot Déot* VI, 3. R. AHARON HALÉVI DE BARCELONE, *Séfer HaHinoukh*, *Mitsvah* 243. Voir *TB Pesahim* 75a ; *TB Makkot* 7a. *TJ Sotah* I. *TB Chabbat* 31a.

3. Voir MAÏMONIDE, *Guide des égarés*, III, 42.

de Lyzhansk (XVIIIe s.) ! (*veYaréta méElohékha, ani HaChem*, « Et tu craindras ton Dieu ! Je suis l'Éternel[1]. ») Ce précepte précède et suit celui de l'amour du prochain qui, lui, conduit à l'amour de Dieu, comme il en découle aussi[2].

L'amour du prochain a sa racine en Dieu.
Dieu Se reflète dans notre prochain ;
Son image s'actualise dans l'image de notre prochain

Il est significatif que dans la Bible hébraïque le précepte de l'amour du prochain (comme celui de la crainte révérentielle de Dieu) soit suivi de l'affirmation : *ani HaChem* (« Je suis l'Éternel »). Donc, « tu aimeras ton prochain comme toi-même » sachant que Moi, l'Éternel, qui suis ton Créateur, Je suis aussi le sien et que Je te demande de l'aimer, car *ani HaChem*.

Ainsi ton amour pour ton prochain ne dépendra ni de tes bonnes ou de tes mauvaises dispositions, ni de tes intérêts ; tu aimeras ton prochain « comme toi-même » le considérant avec la même bienveillance, le jugeant avec la même tolérance que tu as pour toi-même[3] ; ton amour est ancré dans l'Absolu, en Dieu, qui vous a créés tous deux pour vous faire du bien, pour que vous vous fassiez l'un à l'autre du bien[4].

---

1. Lévitique 19, 14, 32. Voir *TB Chabbat* 31b ; Ecclésiaste 3, 14. *Zohar* III, 145b. R. DOV BER DE MEZRITCH (XVIIIe s.), *Magguide Devarav LeYaakov* (Jérusalem, 5736), p. 253-254.

2. *Avot* VI, 1. Voir Genèse 21, 33 ; *TB Sotah* 10a. Voir *TB Yoma* 85b. Lévitique 5, 21 et 25, 17. *Zohar* III, 73a. *Sefat Emet*, II, p. 178. R. ÉLIYAHOU ÉLIÉZER DESSLER (XXe s.), *Mikhtav MiEliyahou*, I (Jérusalem, 5719), p. 141.

3. NAHMANIDE, *Ad Lev.* 19, 17. R. MENAHEM NAHOUM DE TCHERNOBYL, *Me'or Einayim*, *Houkat*.

4. *Tiqqouné HaZohar* 39a. R. HAYYIM VITAL, *Eits Hayyim* (Lemberg, 1864), I.

« N'avons-nous pas tous un seul Père ? N'est-ce pas un seul Dieu qui nous a créés ? » demande le prophète Malachie [1].

« Comment ne pas aimer ton prochain — demande Rabbi Israël Baal Chem Tov (1699-1760) —, quand tu sais que Dieu, que tu prétends aimer, l'aime [2] ? » Plus encore, Dieu Lui-même Se reflète en ton prochain ; Il est en lui et, à travers son regard, Il te regarde. En ton prochain qu'Il a fait à Son image et qui est *kamokha* (« comme toi-même ») tu vois Dieu.

« Le Saint, béni soit-Il, Lui-même, est appelé [ton] prochain », observe Rachi (Rabbi Salomon ben Isaac, XIe s. [3]). Et Rabbi Menahem Recanati (XIIIe-XIVe s.) démontre que la valeur numérique du mot *kamokha* (« comme toi ») est la même que celle du mot *Élohim* (« Dieu [4] ») !

Le Décalogue commence par les mots : « Moi, Je suis l'Éternel ton Dieu » et se termine par le mot : « ton prochain » ! Le « Moi » divin et le « prochain » humain s'aident mutuellement dans l'accomplissement de leur œuvre

L'amour du prochain est vrai, réel, lorsqu'il émane de notre reconnaissance de la paternité de Dieu et de Sa souveraineté. Le Décalogue, fondement de tout ce qu'on appelle morale, commence par la déclaration *anokhi* (« Moi, Je suis l'Éternel »), et se termine par le mot *leréiékha* (« à ton prochain »). Le respect de « ton prochain » *(réiékha)* n'est authentique et fécond que s'il est fondé sur l'*anokhi*.

1. Malachie 2, 10. Voir R. AVRAHAM IBN EZRA (XIIe s.), *Ad Lev.* 19, 18. *Korban HaEida ad TJ Nedarim*, IX, 4.

2. « [Dieu] témoigne Son amour à l'étranger : vous aimerez l'étranger » (Deutéronome 10, 18-19). *Avot* III, 14. *Zohar* I, 186b.

3. RACHI, *Ad Prov.* 7, 10.

4. *Matnot Kehouna, ad Gen. R.* 24, 8. Voir *Avot* III, 14. *Gen. R.* 24, 8. *Lev. R.* 33, 3. CHELAH HAKADOCHE, II, p. 106a.

L'éternité et la royauté de Dieu sont l'origine et la garantie du respect porté à l'être qu'Il a fait et qu'Il veut à Son image : libre et bon. C'est ainsi que le Chelah HaKadoche (Rabbi Isaïe Horowitz, XVIIe s.) relie l'*anokhi*, du commencement du Décalogue, à *leréiékha*, de sa fin.

*Les mots « Torah » et « *Gemilout Hasadim* » (« enseignement » divin et « action humaine en vue du bien ») ont la même valeur numérique*

La Torah de Dieu devient ainsi identique aux *gemilout hasadim* (« actions de bien »). Le mot « Torah » et les mots *gemilout hasadim* ont la même valeur numérique [1]. Le Talmud nous avait déjà enseigné : « La Torah, par son commencement et par sa fin — ce qui veut dire aussi dès son commencement jusqu'à sa fin — est *gemilout hasadim* [2]. » Les *mitsvot* qui découlent, directement ou indirectement, des *gemilout hasadim*, s'intègrent dans une *mitsvah* exceptionnelle entre toutes : « tu aimeras ton prochain comme toi-même ». C'est ce qu'affirme le Rambam (Maïmonide, 1135-1204) dans son *Séfer ha-mitsvot* [3] *(Livre des mitsvot)* et ensuite dans son code, *Michneh Torah* [4]. « Toutes ces actions et celles qui leur ressemblent, réalisées en tant que *gemilout hasadim*, s'intègrent dans une *mitsvah* exceptionnelle entre toutes : "tu aimeras ton prochain comme toi-même". »

1. Voir *TB Avodah zarah* 17b ; *Eccl. R.* 7. *TB Babba batra* 15a ; *TB Ketoubbot* 8b. *Eccl. R.* 7, 1.
2. *TB Sotah* 14a. *Zohar* 199a. LE MAHARAL, *Netivot Olam*, I, *Netiv Gemilout Hasadim*, I, p. 57b.
3. MAÏMONIDE, *Séfer HaMitsvot*, *Shoresh HaSheini*.
4. MAÏMONIDE, *Michneh Torah*, *Hilkhot Eivel* XIV, 1.

La relation intrinsèque entre l'amour du prochain et la justice sociale

Cependant le terme même de *gemilout hasadim* traduit à juste titre par « charité » — une « charité », ainsi qu'observe le Talmud, qui touche « aussi bien riches que pauvres [1] » car personne ne peut s'en priver — laisse entrevoir dans la vertu de charité une autre dimension : il véhicule la relation intrinsèque qui unit l'amour du prochain et l'équité sociale [2]. Toute la Torah, écrite et orale, nous rend attentifs aux conséquences pratiques d'ordre éducatif, juridique, psychologique, moral et spirituel, qui résultent de cette relation. Le verbe *gomel*, d'où dérive le terme *gemilout hasadim*, concentre en lui la grandiose vision juive de l'homme, de la société, de l'humanité. Ce verbe, qui se réfère à l'accomplissement d'une œuvre de « charité » *(hesed)*, invite aussi à s'acquitter d'un devoir, à rendre à autrui ce qui lui est dû, à récompenser chacun selon ses mérites et même, comme le souligne Rambam, à payer à son prochain une dette en l'absence de tout mérite [3].

1. *TB Soukkah* 49b. *TJ Péah* I, 1.
2. *TB Qiddouchin* 40a ; *TB Babba metsia* 30b. Voir Jérémie 9, 23.
3. *TB Berakhot* 60b ; *TB Chabbat* 104a. RAMBAM, *Michneh Torah, Hilkhot Berakhot* X, 8 ; et *Moré Névoukhim (Guide des égarés)*, III, 42. *Tour et Choulhan Aroukh*, 219, 2. Voir *Michnah Berakhot* IX, *TB Berakhot* 54a.

Miséricorde et rigueur. L'« imitation de Dieu » par l'homme se limite à Sa miséricorde, à Sa bonté ; l'homme ne peut comprendre Sa rigueur, Sa justice. Toutefois, la racine de Sa bonté et la racine de Sa justice se rejoignent dans leur origine et leur aboutissement. Sa bonté est justice et Sa justice est bonté

L'œuvre humaine de l'amour du prochain, liée à l'œuvre divine de la création du monde nous rappelle que Dieu, ayant créé le monde *bemiddat hadîn*, avec la « mesure de la rigueur », qui est limitée, a associé à celle-ci, « pour que le monde subsiste », la *middat haraḫamim* (« mesure de la miséricorde »), qui est infinie [1]. Certes, la vocation de l'homme consiste à « ressembler à Dieu [2] ». Or, le Talmud et l'ensemble de la doctrine juive, et tout particulièrement le Maharal [3], précisent que cette imitation de Dieu doit se limiter à l'imitation de Sa miséricorde. En effet, nous ne comprenons pas assez Sa justice pour pouvoir l'imiter ; la théodicée ne nous permet pas toujours de déceler ici-bas la bonté divine, sous-jacente à la justice divine, dans ses effets immédiats, et moins encore dans son aboutissement lointain, peut-être même méta-éthique, méta-historique. « Ah ! qu'elle est grande, Ta bonté, que Tu caches pour ceux qui sont Tes adorateurs, que Tu témoignes à ceux qui ont foi en Toi... », nous assure le roi David. La foi que nous communiquent les disciples de Rabbi Israël Baal Chem Tov (à la lumière de l'enseignement de la Kabbale) nous apprend que « la racine de la bonté est dans la justice, et la racine de la justice est dans la bonté [4] ».

---

1. *Gen. R.* 12, 15. *Zohar* I, 182b ; RACHI, *Ad Gen.* 1, 1.
2. *TB Chabbat* 133b. RAMBAM, *Michneh Torah, Hilkhot Déot* I, 6.
3. LE MAHARAL, *Dèrekh Ḫayyim, Avot* IV, 8, p. 135 ; voir aussi *Netivot Olam*, I, *Hakdamah*, p. 2 ; *Netiv Gemilout Ḫasadim*, I, p. 58 ; et *Be'eir HaGolah*, II, p. 19-21. Voir *TB Sanhédrin* 17a ; RAMBAM, *Michneh Torah, Hilkhot Sanhédrin* IX, 1.
4. R. YAAKOV YOSSEF DE POLONNOYE (XVIIIe s.), *Toledot Yaakov Yossef*

Ne t'arroge donc pas, homme, le droit d'imiter Dieu dans ce que tu considères être Sa justice, en faisant souffrir ceux dont tu penses qu'ils méritent d'être punis par Dieu et en pensant Lui servir ainsi d'instrument de Son pouvoir, d'exécuteur de Sa volonté. Mais sache que Dieu déclare, par la voix du prophète Isaïe : « Mes pensées ne sont pas vos pensées, et Mes chemins ne sont pas vos chemins [1]... »

Et toi, homme, qui souffres, en te demandant à l'instar des grands croyants comme Abraham, Moïse, David..., où est la justice de Dieu, sache que tes horizons sont trop limités pour que tu puisses embrasser le passé, le présent et l'avenir, et saisir la cause et le sens de ta souffrance. Quand on voit *tout*, comme Dieu qui embrasse tout d'un seul regard, on voit que c'est bien, même très bien : « même la souffrance, et même la mort » sont comprises dans le « très bien [2] ». Reconnais donc, homme, dans ta foi qui est supérieure et non opposée à la raison, que tu es, comme te le demandent les sages d'Israël *(hayav)* « obligé de bénir Dieu pour ce que tu considères le mal que tu subis, comme tu dois bénir Dieu pour ce que tu considères le bien » qu'Il t'offre [3].

(Jérusalem, 5722), *Noah*, *Balak* ; R. MOSHÉ HAYYIM ÉPHRAÏM DE SUDYLKOV (XVIIIe s.), *Déguel Mahaneeh Ephraïm* (Pietrkow, 5672), *Balak*, RAMHAL, *Pithei Hokhmah*, 136, p. 112.

1. Isaïe 55, 8. Voir Psaumes 92, 6.

2. *Gen. R.* 9 ; Genèse 1, 31. *Zohar* I, 14a, 47a, 144a ; II, 68b, 149b, 163a ; III, 63a, 185a. *TB Berakhot* 7a ; *Zohar* III, 231a. CHELAH HAKADOCHE, II, p. 5a. R. DOV BER DE MEZRITCH, *Magguide Devarav LeYaakov*, p. 254. Deutéronome 1, 17. R. SHEMOUËL DE SOHATCHOV (XXe s.), *Shem MiShemouël* (Jérusalem, 5734), I, p. 25. R. A. Y. H. KOOK, *Orot HaKodesh* II, p. 499, 501. R. YAAKOV MOSHÉ HARLAP (XXe s.), *Mikhtevei Merom* (Jérusalem, 5748). Psaumes 136, 1.

3. *Michnah Berakhot* IX, 5. *TB Berakhot* 54a. *Zohar* II, 174a.

Toi, homme, tu dois associer, dans tes relations
personnelles, ta vertu de bonté à la vertu de justice ;
et dans tes rapports sociaux, tu dois associer
la vertu de justice à la vertu de bonté.
Et tout cela en te conformant aux mitsvot
que la Torah te prescrit

Voilà pourquoi les sages d'Israël sont catégoriques lorsqu'ils exigent que nous ressemblions à Dieu, par ces mots lapidaires : « "Marchez après l'Éternel, votre Dieu", dit la Torah, et cela signifie : comme Lui est miséricordieux, sois miséricordieux [1]... »

Toutefois, « pour que le monde subsiste », tu dois associer la *middat hadîn* (ta vertu de justice), dans tes rapports sociaux, à la *middat hara hamim* (ta vertu de bonté), dans tes relations personnelles, comme Dieu le fait dans Son œuvre de création : Il associe la *middat hara hamim* à la *middat hadîn* [2].

Quant à la justice que tu dois pratiquer, en toutes circonstances, tu la pratiqueras conformément aux *mitsvot* qui te sont clairement prescrites dans la Torah. Laisse donc « les choses cachées [qui] appartiennent à l'Éternel notre Dieu, mais [sache que] les choses révélées nous sont destinées, afin que nous mettions en pratique *[laassot]* toutes les paroles de cette Torah [3]... ».

C'est ainsi que tu peux harmoniser l'adage de Siméon le Juste avec celui de Rabbi Siméon ben Gamliel se trouvant dans le même traité des Pères. Le premier dit : « Le monde subsiste par trois choses : la loi, le culte et la charité *[gemi-*

1. Deutéronome 13, 5. *TB Sotah* 14a. *Zohar* III, 278a.

2. *TJ Megillah* III, 6 ; Zacharie 8, 16. Psaumes 33, 5 ; 89, 3.15 ; 94, 4. Proverbes 29, 4. Jérémie 9, 23. *TB Hagigah* 14a ; *TB Sanhédrin* 38b. *Gen. R.* 12, 15.

3. Deutéronome 29, 28. R. SAMSON RAPHAËL HIRSCH, *ad loc.* R. ÉLIYAHOU, *Liqqouté HaGra al Sifra DiTseniouta* (Jérusalem, s.d.), p. 78.

lout hasadim] ; le second dit : le monde subsiste par trois choses : la vérité, la justice *[dîn]* et la concorde[1]. » Ainsi, *gemilout hasadim* et *dîn* se complètent.

Dans la Bible hébraïque, les termes « charité » et « justice », apparemment contradictoires, ne vont pas l'un sans l'autre. La charité est spontanée, libre ; la justice est instituée, contraignante. Toutefois, dans leur essence, elles se complètent ; dans leurs effets, elles se vivifient mutuellement

Au vrai, la justice est partout alliée à la charité. On retrouve tout au long de la Bible hébraïque le couple « charité et justice », « justice et charité » *(tsedaqah oumichpat, michpat outsedaqah)* ; ces deux partenaires marchent toujours ensemble, l'un solidaire de l'autre.

Dieu avait ainsi recommandé à Abraham et à sa descendance ce couple uni, inséparable, aux droits égaux : justice et charité, ce qui veut dire en même temps : charité et justice[2]. Le psalmiste et les prophètes ont relevé l'interférence de ces deux valeurs, apparemment contradictoires mais complémentaires dans leur essence, dans leur vocation ; les kabbalistes y voient la complémentarité de l'homme et de la femme. Les maîtres de la pensée juive, guides de la conscience juive, ont célébré cette influence réciproque, cette « aide » mutuelle, par laquelle la justice fortifie et guide la charité et la charité vivifie et inspire la justice. Elles ont besoin l'une de l'autre pour s'accomplir ensemble. La charité, libre par sa nature, est ainsi prisée en tant que justice, considérée comme un devoir ; et la justice obligatoire par son ordre est appréciée en tant que charité,

---

1. *Avot* I, 2. *Zohar* III, 146b.
2. Genèse 18, 19 ; *Exode R.* 30, 24.

recherchée dans sa spontanéité [1]. Tout se réalise à l'instar de l'amour et du droit, de la grâce et du devoir, conjugaux, entre l'homme et la femme, entre eux et Dieu, entre la communauté d'Israël et son Dieu ; charité et justice, justice et charité trouvant leur inspiration, leur garantie et leur aboutissement dans l'*emounah* (la « foi ») en Dieu qui les prodigue à ceux qui savent en bénéficier [2].

La charité vécue en tant que justice humaine et la justice réalisée en tant que charité humaine [3] sont gouvernées par le couple rigueur et miséricorde, justice et bonté divines, que le roi David magnifie, en s'écriant : « La justice et le droit sont la base de Ton trône, ô mon Dieu, l'amour et la vérité marchent devant Toi [4] ! »

Amour et droit. Dans la Bible hébraïque, le précepte de l'amour du prochain est précédé par des lois d'ordre social. « Le pauvre récupère son droit »

Charité et justice, justice et charité sont contenues dans les ordonnances de la Bible hébraïque. En vérité, le précepte de l'amour du prochain est précédé, dans le dix-neuvième chapitre du Lévitique, par la loi du *lèqet* [5]. Cette loi prévoit que l'Israélite propriétaire d'un champ doit « laisser la moisson inachevée au bout de son champ et ne point ramasser la glanure de sa moisson : il doit les abandonner au pauvre et à l'étranger (lesquels, en raison de circonstances particulières, sont temporairement privés de ce qui leur

1. *Nb. R.* 11. Voir Psaumes 19, 10. *TB Sanhédrin* 6b.
2. Osée 2, 21.22.
3. Voir R. SHEMOUËL DE SOHATCHOV, *Shem MiShemouël*, *Choftim*, p. 115.
4. Psaumes 89, 15.
5. Lévitique 19, 9.10.

revient de droit) ». La moisson et sa glanure n'appartiennent pas au propriétaire du champ. Cette loi relève de l'amour du prochain dans la justice et du respect du prochain dans l'amour.

L'indigent entre dans le champ d'autrui, il y prend lui-même ce qui lui appartient ; c'est là son droit. Il ne s'agit pas d'une aumône [1] : ce n'est pas la main d'autrui qui lui donne ce qu'il ramasse. Le Talmud de Jérusalem le considère comme un *associé* de celui qui, à tort, pourrait se considérer propriétaire [2]. Maïmonide stigmatise « celui qui empêche les pauvres de ramasser le *lèqet* », en le traitant de « voleur [3] » ! C'est plutôt ce dernier qui doit « se considérer comme s'il était lui-même *imakh* [le pauvre] », observe Rachi, dans son commentaire des mots bibliques : « le pauvre avec toi » *(et heani imakh [4] !)*. Et, à l'instar de Rabbi Yehoudah Hè-Hassid (Juda le Pieux, XIIIe s.), les *hassidim* interprètent ainsi le verset biblique « Que ton frère vive avec toi » *(Vekhei ahikha imakh [5])* ; ce que ton frère possède est en dépôt chez toi, *imakh* ; fais en sorte que ce qui est à lui revienne chez lui... afin que « celui qui a le droit récupère son droit » *(Veyaguia baal hok lehouko)*, exige Maïmonide [6].

---

1. R. YEHOUDAH HÈ-HASSID (XIIIe s.), *Séfer Hassidim* (éd. Margaliot, Jérusalem, 5724), 297, p. 415.
2. *TJ Péah* VII, 5.
3. RAMBAM, *Michneh Torah*, *Hilkhot Matnot Aniyim* IV, 12. Voir Proverbes 22, 22.23. R. HAYYIM DE VOLOJINE, *Rouah Hayyim* (Jérusalem, s.d.), *Avot* V, 9, p. 81-82.
4. RACHI, *Ad Exode* 22, 24.
5. Lévitique 25, 36.
6. MAÏMONIDE, *Guide des égarés*, III, 52. Voir R. MOÏSE ALCHEIKH, *Behar*. R. HAYYIM ATTAR (XVIIIe s.), *Or HaHayyim*, *Ad Exode* 22, 24.

Principe éthique transformé en loi, « obligation » de pratiquer la charité

Suivant le Talmud, Maïmonide stipule que le tribunal peut contraindre toute personne refusant de pratiquer la « charité » *(Tsedaqah)* à faire un don lorsque cela est nécessaire : *kofine al hatsedaqah*[1]. Voilà donc un exemple de principe éthique, faisant appel à la conscience individuelle, qui est transformé en loi à caractère social.

La *tsedaqah* (acte de charité) est une *mitsvah* (« ordonnance » divine) objective[2], et non seulement une manifestation de la compassion humaine, subjective, aussi louable soit-elle[3]. Plus encore, selon les sages d'Israël, la *mitsvah* de la *tsedaqah* « équivaut à toutes les autres *mitsvot*[4] » : elle est appelée « la *mitsvah*[5] » par excellence. En réalité, la *mitsvah* de *tsedaqah* ne diminue pas l'importance des autres *mitsvot*, mais les influence.

---

1. RAMBAM, *Michneh Torah*, *Hilkhot Matnot Aniyim* VII, 10. *TB Babba batra* 8b, mais voir aussi *Tosafot*, *ad loc.* Voir aussi *TB Sotah* 46a. RAMBAM, *Michneh Torah*, *Hilkhot Eivel* XIV.

2. *TJ Péah* I, 1. RAMBAM, *Michneh Torah*, *Hilkhot Matnot Aniyim* X, 1. R. CHNÉOUR ZALMAN DE LYADI (XVIIIe-XIXe s.), *Tanya*, *Liqqouté Amarim* (Kfar Habad-New York, 5726), 34, p. 86.

3. *TB Chabbat* 151b ; *TB Bétsah* 32b ; *TB Yevamot* 79a. *Pesiqta Zoutarta*, *VaYehi* 3, 17. LE MAHARAL, *Tiféret Yisraël* (Tel-Aviv, 5714), 16.

4. *TB Babba batra* 9a. Voir *TB Babba batra* 10b, 11a. TANNA DEVEI ÉLIYAHOU RABBA, 10.

5. RACHI, *Ad TB Chabbat* 156a. *TB Chabbat* 104a, *TB Babba batra* 6a. *Zohar* I, 199a. *Tiqqouné HaZohar* 21 (58a). YALKOUT SHIM'ONI, *Tehillim*, 17, 671. RAMBAM, *Michneh Torah*, *Hilkhot Matnot Aniyim* X, 1 ; voir aussi *Moré Nevoukhim*, III, 53.

Pourquoi le Juif qui accomplit la mitsvah *de* tsedaqah *— la* mitsvah *par excellence — est-il dispensé de prononcer une* berakhah *(« bénédiction ») pour Dieu, à savoir une « prière » comme il est tenu de le faire avant de réaliser n'importe quelle autre* mitsvah *?*

Et pourtant, paradoxalement, le Juif qui accomplit la *mitsvah* de *tsedaqah* est dispensé de prononcer une *berakhah* pour Dieu, comme il est tenu de le faire avant d'accomplir une autre *mitsvah*. Pourquoi ? se demandent les *hassidim*. Et ils répondent : pour qu'il n'ait pas le temps, pendant qu'il se prépare à la récitation de la *berakhah*, de maîtriser son sentiment de pitié, d'affaiblir sa disponibilité initiale, de se reprendre et de diminuer le montant qu'il s'était proposé d'offrir à l'indigent ; on ne lui demande pas de *berakhah*, mais on exige de lui, dans le langage de la Bible : « S'il y a chez toi un indigent, ouvre-lui plutôt la main, tu ne manqueras point de lui donner, et de lui donner sans que ton cœur le regrette ; car à cause de cela l'Éternel ton Dieu te *bénira* dans tout ton labeur » (Il te bénira, bien que tu n'aies pas prononcé de bénédiction à Son égard[1] !). On ne lui demande pas de *berakhah*, ajoutent les rabbins, car une *berakhah* doit être prononcée avec joie ; or, celui à qui est demandé de faire un don n'éprouve peut-être pas de joie à la pensée d'avoir à donner de son bien[2] (oubliant que tout appartient à Dieu et qu'il tient tout ce qu'il a de Dieu, et qu'en donnant au pauvre, il rend à Dieu[3] ; en vérité : « donne-Lui [à Dieu] du Sien, car toi et tout ce que tu possèdes, vous êtes à Lui ; ainsi dit David : "Tout nous vient de Toi et nous ne donnons que par Ta main"[4] »). C'est Rachba

1. Deutéronome 15, 7.8.10.
2. R. Kelonimos Kalman Epstein (xixe s.), *Maor VaShémésh*, *Mikraot Guedolot* (Jérusalem, 5736), *ad Nb.* 26, 16, p. 439.
3. Voir Proverbes 19, 17. *TB Babba batra* 10a.
4. *Avot* III, 7 et Rachi, *ad loc.* 1 Chroniques 29, 14. Voir *TB Bera-*

(Rabbi Salomon ben Abraham Adret, XIIIe s.) qui explique le mieux pourquoi le Juif qui accomplit la *mitsvah* de *tsedaqah* n'est pas tenu de prononcer une *berakhah*. Le célèbre halakhiste, fin psychologue, dit qu'il ne convient pas de prononcer une *berakhah* pour un acte (en l'occurrence un don) susceptible de gêner, voire d'offenser le bénéficiaire, à savoir l'indigent (« car heureux celui qui donne de la *tsedaqah* au pauvre sans l'offenser[1] ! »). C'est pourquoi le Midrach rappelle au donateur qu'en fait « l'indigent fait beaucoup plus pour le donateur, que le donateur pour l'indigent[2] » : l'indigent permet au donateur d'accomplir la *mitsvah* qui est la quintessence de toutes les *mitsvot*, celle de l'amour du prochain ; ainsi « l'indigent préserve de la rigueur de la géhenne celui qui hésite à l'aider ! », remarque Rabbi Aqiva[3].

khot 35a. Voir Psaumes 24, 1 ; 104, 24. Voir R. YOSSEF KARO (XVIe s.), *Choulhan Aroukh*, *Orah Hayyim* 41 (Maguen Avraham, 7).

1. R. SALOMON BEN ABRAHAM ADRET, *Teshouvot HaRaShbA*, 18 ; mais voir aussi RAMBAM, *Michneh Torah*, *Hilkhot Berakhot* XI, 2. Voir *Metsoudat David*, *ad Ps.* 41, 2. *Michnah Cheqalim* V, 6. *TJ Cheqalim* V, 4. *TB Chabbat* 104a ; *TB Soukkah* 49b et RACHI, *ad loc.* *TB Roch ha-chanah* 6a ; *TB Hagigah* 5a ; *TB Babba batra* 9a et *Tosafot*, *ad loc.* Proverbes 21, 14. *Lev. R.* 33, 1. *Avot deRabbi Nathan*, 13. RACHI, *Ad Eccl.* 12, 4. RAMBAM, *Michneh Torah*, *Hilkhot Matnot Aniyim* X, 4. ALCHEIKH, *Ad Eccl.* 11, 1.

2. Lévitique 34, 10. *Ruth R.* 5, 9. *Zohar* I, 13b, 208a. Voir Proverbes 18, 16. *Deut. R.* 4, 8.

3. *TB Babba batra* 10a.

Le monde est gouverné par le principe fondamental de la complémentarité, de l'échange entre celui qui donne et celui qui reçoit. Celui qui reçoit donne plus à celui qui donne qu'il n'en reçoit. « Mâle et femelle », les deux donnent l'un à l'autre et reçoivent l'un de l'autre

L'adage midrachique cité plus haut met en relief le lien vivant qui unit donateur et indigent ; il nous aide à comprendre un important enseignement que nous transmettent les maîtres de la pensée juive de tous les temps : Dieu a voulu que le monde soit gouverné par le principe de *notèn* et *mékabbel* (l'un « influe » et l'autre « reçoit [1] »).

Le Talmud et surtout le *Zohar* l'ont déjà enseigné : « Tout ce que Dieu a créé dans le monde, Il l'a crée *zakhar ounekéva* (mâle et femelle [2]). » Le donateur reçoit de celui à qui il donne ; celui qui reçoit donne à celui dont il reçoit. « En toute union — écrit le Maharal —, l'un reçoit l'autre, et les deux reçoivent l'un de l'autre [3]. » Personne, sans exception aucune, n'échappe à ce principe primordial d'échange complémentaire, d'assistance mutuelle créatrice. Dieu Lui-même, loin de Se soustraire à cette loi, désire s'y conformer. En restreignant Ses prérogatives, par une sorte de *tsimtsoum* (« limitation »), Il accorde à l'homme, qu'Il a créé

1. *Exode R.* 31, 5 ; 33, 4. *Zohar* I, 159a. R. ÉLIYAHOU ÉLIÉZER DESSLER, *Mikhtav MiEliyahou*, I, p. 140-145.

2. *TB Babba batra* 74b. *Zohar* I, 157b. R. ISAAC LOURIA, *Liqqouté Torah* (Jérusalem, 5732), p. 29b. CHELAH HAKADOCHE, II, p. 103b-104a. R. ÉLIYAHOU, *Biourei HaGra al Aggadot* (Israël, 5731), *Liqqouté HaGra*, p. 71-72. R. CHNÉOUR ZALMAN DE LYADI, *Tora Or* (New York, 5738), *Tetsavé*, p. 82b. Alexandre SAFRAN, *La Cabale* (Paris, Payot, 1974 [3e éd.]), p. 345 s.

3. *Zohar* I, 13b. LE MAHARAL, *Netivot Olam*, I, *Netiv HaAvodah* 16, p. 49.

à Son image, le libre arbitre, la liberté de choisir [1], une liberté, certes toute relative face à Sa liberté absolue. Mais en accordant à l'homme la liberté — restreinte, il est vrai, par les lois qu'Il a Lui-même « déterminées » —, Dieu entre dans l'histoire de l'homme, qui devient une histoire de l'homme et de Dieu, une histoire de Dieu avec l'homme, qu'Il « aide » pour l'encourager dans le *bon* exercice de sa liberté [2].

Don divin gratuit et don divin mérité, à savoir don divin offert à l'homme pour la dignité de celui qui le reçoit

Dieu désire que Sa collaboration avec l'homme L'amène, Lui qui ne cesse de donner, à recevoir de l'homme. Dieu, lorsqu'Il donne, est au masculin ; lorsqu'Il reçoit, au féminin, observe Rabbi Éliyah (Rabbi Élie, le Gaon de Vilna, XVIIIe s. [3]). Car l'homme qui accomplit les *mitsvot* donne à Dieu de la joie *(nahat rouah)*, de la « satisfaction » ; il Lui apporte un *réah nihoah* [4] (une « odeur agréable »), qu'Il aime et reçoit avec joie [5]. En effet, le vrai Juif étudie la Torah et accomplit les *mitsvot* non pour en tirer profit [6], mais seulement pour « donner » le « *nahat rouah* à son

---

1. RAMBAM, *Michneh Torah*, *Hilkhot Techouva* V, 2-3. Voir RACHI, *Ad Gen.* 3, 22.

2. *TB Soukkah* 52a ; *TB Chabbat* 104a. *Zohar* I, 62a, 77b ; II, 79b. *Sefat Emet* II, p. 30-31.

3. R. ÉLIYAHOU, *Liqqouté HaGra al Sifra DiTseniouta*, p. 74, 77. R. LÉVI YITSHAK DE BERDITCHEV (XVIIIe-XIXe s.), *Kedoushat Lévi* (Munkacz, 5623), *Tazri'a*.

4. *Sifré Chelah*, 14, 15. *Zohar* II, 173b ; *Zohar Hadash*, 22b. *Tosafot, ad TB Menahot* 110a.

5. *Exode R.* 36, 3 ; *Lev. R.* 31 ; *Nb. R.* 15. R. DOV BER DE MEZRITCH, *Magguide Devarav LeYaakov*, p. 10, 40, 92. R. LÉVI YITSHAK DE BERDITCHEV, *Kedoushat Lévi*, *Tazri'a*. Alexandre SAFRAN, *Sagesse de la Kabbale* II (Paris, Stock, 1986), p. 114.

6. *Avot* I, 3. *Zohar* II, 119a.

Créateur ». Et lorsque Dieu *reçoit* le *nahat rouah*, à Son tour Il donne Sa *berakhah* (« bénédiction ») ; à travers la *berékha* (« canal[1] »), Il répand Sa grâce sur le monde d'en bas. En répondant au « besoin d'en haut », *tsoréh Gavoah*[2], l'homme agit pour Dieu : il « augmente », pour ainsi dire, « la force de celui qui est la Force », il « fortifie », en quelque sorte, le désir qu'a Dieu de faire du bien[3].

Dieu souhaite donc *recevoir* de l'être humain, pour mieux *pouvoir* lui *donner*. Recevoir de qui ? D'un être qui, conscient de sa précarité, de sa petitesse, de sa pauvreté (ne lui a-t-on pas dit : « Si tu agis bien *[tsadaqta]*, que Lui [à Dieu] donnes-tu[4] ? »), connaît pourtant sa grandeur : il se sait digne de servir Dieu, d'offrir le *réah nihoah* à Celui qui possède toutes choses[5]. Dieu aime recevoir de l'être humain. L'homme qui a *donné* à Dieu peut *recevoir* de Lui sans en éprouver de gêne. L'homme sait qu'il *reçoit* de la main du Donateur un « don gratuit ». Mais le Donateur désire que ce don, offert dans le respect de la dignité humaine, dans le « droit », soit reçu comme un don « mérité » et non comme un « pain de la honte[6] ».

---

1. Genèse 12, 2. *Gen. R.* 39, 12. R. CHNÉOUR ZALMAN DE LYADI, *Tora Or, Shemot*, p. 53b ; voir aussi *VaYehi*, p. 106a. R. HAYYIM DE VOLOJINE, *Rouah Hayyim*, *Avot* I, 3. R. YEHOUDAH ARIÉ LEIB DE GOUR, *Sefat Emet*, II, p. 159.

2. Voir *TB Sotah* 38b et RACHI, *ad loc.*

3. Psaumes 68, 35. *Thr. R.* 1. *Zohar* II, 133a ; III, 7b. *Shoheir Tov*, 20. YALKOUT SHIM'ONI, *Pekoudei*, 418. R. HAYYIM VITAL, *Peri Eits Hayyim* (Lemberg, 1864), *Sha'ar Keriat Shema*, 12 ; voir aussi *Sha'arei Kedousha* (Istanbul, 1731), II, *Sha'ar* 7. CHELAH HAKADOCHE, III, p. 75b. R. LÉVI YITSHAK DE BERDITCHEV, *Kedoushat Lévi*, *Eikev*. R. YAAKOV MOSHÉ HARLAP, *Mikhtevei Merom*, p. 74.

4. Job 35, 7. Voir *Gen. R.* 44, 1.

5. Psaumes 24, 1 ; 104, 24.

6. *TJ Orlah* I, 3. R. AHARON HALÉVI DE BARCELONE, *Séfer Ha-Hinoukh*, *Mitsvah* 428. R. ÉLIYAHOU ÉLIÉZER DESSLER, *Mikhtav MiEliyahou*, I, p. 17.

L'homme est en quête de Dieu et Dieu est en quête de l'homme. Le « désir d'en bas » vient à la rencontre du « désir d'en haut ». Dieu fait descendre les cieux sur la terre, et l'homme fait monter la terre vers les cieux

L'homme qui s'abaisse devant Dieu est aussi celui qui est « debout » devant Dieu[1] ; et « à l'endroit même où Dieu S'élève dans Sa grandeur, Il se montre dans Sa modestie[2] ». Ce sont deux partenaires qui ont besoin l'un de l'autre. Humblement, l'homme prie Dieu de le bénir, et Dieu le bénit ; modestement, Dieu dit : « Ismaël, mon fils, bénis-Moi[3] », et Ismaël Le bénit.

L'homme est en quête de Dieu et Dieu est en quête de l'homme. « Dieu désire les prières des justes[4] », Il aime recevoir les actes bons de l'homme[5] afin de lui répondre avec abondance, en faisant descendre sur lui le bien. C'est lorsque l'« homme » est, qu'« une exhalaison *s'élève de la terre* pour imprégner toute la surface du sol » ; alors la pluie *descend* et fait fructifier la terre[6]. Ainsi, l'amour et le désir font-ils du ciel et de la terre, du monde d'en haut et du monde d'en bas, un seul monde. L'initiative vient d'en haut et d'en bas. Le « désir d'en bas » vient à la rencontre du

1. *TB Berakhot* 28b, 62b. Voir 2 Rois 5, 16.

2. *TB Megillah* 31a. R. ÉLIYAHOU, *Liqqouté HaGra al Sifra DiTsenioutа*, p. 74.

3. *TB Berakhot* 7a.

4. *TB Yevamot* 64a ; *TB Sotah* 38b ; *TB Avodah zarah* 4a. *Exode R.* 21, 36. *Zohar* I, 137a ; II, 15a.

5. *Nb. R.* 10.

6. Rachi écrit dans son commentaire *Ad Gen.* 2, 5-6 : « "L'herbe des champs ne poussait pas encore." Pour quelle raison ? C'est parce qu'il n'y avait point d'homme pour travailler la terre. Lorsque l'homme est arrivé, il a compris que le monde a besoin de pluie et il a prié pour la pluie. La pluie est tombée et a fait pousser arbres et végétaux. » Voir aussi RACHI, *Ad TB Ketoubbot* 5a. Voir *TB Taanit* 8a-b. *TB Houllin* 60b. *TJ Taanit* I, 3. *Zohar* I, 35a, 97a. ARI HAKADOCHE, *Liqqouté Torah*, *Tehilim* 84. CHELAH HAKADOCHE II, p. 100a.

« désir d'en haut [1] ». Le désir d'en bas est accueilli avec une joie particulière dans le monde d'en haut, sur lequel il agit, car il sera bénéfique pour le monde d'en bas. Le désir d'en haut est accueilli avec gratitude dans le monde d'en bas, sur lequel il agit, car il sera bénéfique pour le monde d'en haut, grâce à l'adoration de la Torah et à la pratique des *mitsvot* dans le monde d'en bas [2]. La communication entre les deux mondes est ininterrompue ; elle se poursuit, se renouvelle grâce à l'accomplissement de la Torah et des *mitsvot* dans le monde d'en bas et de ses répercussions favorables dans le monde d'en haut. La Torah et les *mitsvot* ont été, dans l'intention du Créateur, l'instrument de la création du monde [3] et elles sont la finalité du monde parachevé [4]. À travers leur accomplissement, Dieu fait descendre les Cieux sur la terre et l'homme fait monter la terre vers les Cieux. « Les Cieux sont à Dieu, pour que les enfants de l'homme fassent de la terre, des Cieux [5] » et y établissent une « demeure » pour la *chekhinah*, pour la « Présence divine [6] ». Oui, Dieu, « attiré [7] » « désire habiter dans le monde d'en bas [8] », parmi les hommes. Il est « tout proche de tous ceux qui L'appel-

---

1. Voir *Zohar* I, 83b ; II, 128b. R. AHARON HALÉVI DE BARCELONE, *Séfer HaHinoukh*, *Mitsvah*, 433.

2. Voir *Zohar* I, 77b, 80b ; III, 66a, 92a, 112b, 122a ; *Tiqqouné HaZohar* 39a. ARI HAKADOCHE, *Liqqouté Torah*, *HaAzinou*. R. CHNÉOUR ZALMAN DE LYADI, *Tora Or*, *VaYishlah*, p. 25.

3. *Gen. R.* 1, 1. RACHI, *Ad Gen.* 1, 1.

4. Voir *TB Chabbat* 146a ; *TB Avodah zarah* 22b. *Zohar* I, 47a.

5. *Metsoudat David*, *ad Ps.* 115, 16. RAMHAL, *Pithei Hokhmah* 30. R. A. Y. H. KOOK, *Orot HaKodesh*, III, p. 365.

6. Voir *TB Nedarim* 32b ; *Zohar* I, 96a. *Gen. R.* 19 ; *Nb. R.* 12. R. CHNÉOUR ZALMAN DE LYADI, *Tora Or*, *Mikets*, p. 40b.

7. Voir *Gen. R.* 19, 13. R. ÉLIYAHOU, *Adéret Eliyahou* (Tel-Aviv, s.d.), p. 59. R. CHNÉOUR ZALMAN DE LYADI, *Tora Or*, *Shemot*, p. 53b.

8. *Tanhouma*, *BeHoukotaï* 3 et *Nasso* 16. CHELAH HAKADOCHE, III, p. 75a-b. R. CHNÉOUR ZALMAN DE LYADI, *Tora Or*, *Shemot*, p. 53b. Voir aussi *TB Qiddouchin* 31a.

lent, de tous ceux qui L'appellent en vérité [1] ». Il a « Sa résidence en eux », car ils constituent le « sanctuaire de Dieu [2] ».

La communication entre les deux mondes se renouvelle sans interruption. La Torah et les *mitsvot* s'accomplissent, elles qui sont dans l'« intention » *(kavvanah)* du Créateur, instrument et finalité du parachèvement du monde. Grâce à elles, Dieu fait descendre les Cieux sur la terre : Lui-même est « attiré [3] » vers la terre où Il désire avoir une « demeure » *(Dira bataẖatonim* [4]*)*, parmi les hommes, et résider parmi eux, et l'homme, Israël, par la Torah et les *mitsvot*, fait monter la terre vers les Cieux, et établit en lui-même un *maone lachekhinah*, (« demeure pour la Divinité »). La terre se transforme en Ciel, et le corps humain se transfigure en âme humaine. Le corps devient saint et pur, comme l'âme qui est, par son origine, sainte et pure [5]. Tout revient à son *chorèche* (« racine »), tout redevient ce qu'il était au moment de la création.

---

1. Psaumes 145, 18.

2. Psaumes 78, 60, Jérémie 7, 4. *TB Sotah* 3b ; *TB Menaẖot* 110a. *Zohar* I, 76a ; III, 29b, 238b. *Tiqqouné HaZohar* 13a, 22b. RAMBAM, *Michneh Torah*, *Hilkhot Shemitta VeYovel* XIII. RAMBAM, *Ad Deut.* 11, 22. ALCHEIKH, *Terouma*. SEFORNO, *Ad Lev.* 26, 12. CHELAH HAKADOCHE, II, p. 105a. *Keter Chem Tov*, II, p. 7a. R. ẖAYYIM ATTAR, *Or HaẖAyyim*, *ad Lev.* 26, 11. R. NAHMAN DE BRASLAV (XVIIIe s.), *Séfer HaMiddot* (Bnei Brak, 5730), *Tsaddiq* 20, 101.

3. R. CHNÉOUR ZALMAN DE LYADI, *Tora Or* (New York, 5738), p. 58-88.

4. *Ibid.*, p. 34, 120.

5. R. A. Y. H. KOOK, *Hazone HaGueoula* (Jérusalem, 1941), p. 69, 87 ; voir aussi *Orot* (Jérusalem, 1961), p. 33. Voir *Lev. R.* 34, 3.

Spiritualisation de la matière et matérialisation de l'esprit. « Réparation » de la rupture historique entre l'esprit et la matière. « Restauration » de l'unité originelle de la matière et de l'esprit

L'homme, Israël, accomplit donc une œuvre de transfiguration de ce qui est matériel, physique. Le « travail » consacré à Dieu, l'*avodat HaChem*, accompli par l'homme juif conformément aux prescriptions de la Torah, concerne surtout le domaine de la *gachmiout*[1], de la « matière ». Pour nous dire que Dieu a voulu témoigner Sa grâce à Israël par le don de la Torah et des nombreuses *mitsvot*[2], les sages utilisent le terme *lezakkot* (« faire grâce »), terme que nos maîtres prennent dans le sens de *zikkoukh* (« purification »). Cela signifie que Dieu désire qu'Israël, l'homme, à travers la Torah et les *mitsvot*, puisse purifier, élever, transfigurer ce qui est matériel, le restituer à son état premier, spirituel[3]. Ce qui est matériel, œuvre de Dieu, ne doit donc pas être méprisé. À l'origine, son état est neutre, bon ; mais l'homme, par le mauvais usage qu'il en fait, peut le rendre mauvais. Mais grâce à l'étude de la Torah et à l'observance des *mitsvot*, Israël peut aussi « réparer » tout ce qu'il a « dénaturé » par son intervention mauvaise, dans la nature qui est bonne, dans la matière qui peut servir à des fins supérieures, dans le corps qui devrait être le réceptacle de la sainteté ; l'homme peut leur apporter un *tiqqoun*, peut les « restaurer » dans leur état originel, où se rejoignent le matériel et le spirituel, tous deux œuvres de Dieu, qui les transcende l'un et l'autre[4].

---

1. R. Chnéour Zalman de Lyadi, *Tannya*, *Iggéret HaKodesh* 29, p. 150.
2. *Michnah Makkot* III, 16. *Avot* VI, 11.
3. *Lev. R.* 13, 3 ; *Nb. R.* 17, 1 ; *Mekhilta*, *Mishpatim* 22. R. Chnéour Zalman de Lyadi, *Tora Or*, p. 34 ; *Sefat Emet* III, p. 197.
4. *Tora Or*, p. 73.

La « restauration » n'est jamais parfaite, n'est jamais définitive ; elle se renouvelle et s'approfondit toujours davantage. L'homme « marche » sans cesse ; il ne s'accomplit jamais totalement, définitivement ; il est toujours « en voie » de se réaliser « à la lumière de la Torah » et sur le « sentier » de la halakhah, *qui elle-même est « en marche » sur les chemins du « monde »*

En raison des « montées et descentes » inhérentes à son être, l'homme ne peut jamais achever l'œuvre de *tiqqoun*. Le *tiqqoun* doit se renouveler, se perfectionner toujours plus ; chaque étape de son renouvellement, de son perfectionnement révèle, par cela même qu'elle existe, que l'étape précédente n'était pas parfaite [1]. En effet, avec l'achèvement du *tiqqoun*, la vie, au sens ou l'entendent la Torah et les *mitsvot*, cesserait ; l'histoire prendrait fin. Or, l'homme ne termine jamais, durant sa vie, la tâche qui lui incombe, car, dans le temps qui lui est assigné, à lui personnellement, personne d'autre ne peut faire ce que lui doit faire, en conformité avec le *chorèche* [2]. « Adam a été créé seul [3] » pour nous apprendre que chaque être humain est unique, irremplaçable dans la réalisation de sa tâche sur terre, complémentaire de la tâche d'autrui, pendant le temps qui est le sien, un temps irremplaçable.

L'homme est *bivhinat méhalekh* [4], il marche toujours, il avance ; il n'est pas *bivhinat omed* : il ne doit jamais s'arrêter... Ce qu'on appelle communément éthique, morale, le judaïsme le conçoit comme un *dèrekh*, comme une « voie », comme une marche que nous poursuivons,

---

1. RAMHAL, *Pithei Hokhmah*, 30. Voir *TB Sanhédrin* 101a. Voir *Avot* II, 10 ; *TB Chabbat* 153a. *Zohar* III, 33a. *Avot* II, 16.

2. R. LÉVI YITSHAK DE BERDITCHEV, *Kedoushat Lévi*, *Re'ei*. Voir *TB Berakhot* 63b ; *TB Roch ha-chanah* 27a.

3. *TJ Sanhédrin* IV, 9 ; *TB Sanhédrin* 37a, 38a.

4. Voir Zacharie 3, 7 ; mais voir *Zohar* 100a, 129b.

guidés par la Torah[1]. Or, avons-nous dit, la Torah est *halakhah*, la Torah est Loi. Comment concilier la voie libre, ouverte, mouvante, et la Loi, supposée immobile ? En termes philosophiques, comment concilier l'autonomie de l'être humain, seul agent moral, donc libre, et l'hétéronomie de la Loi, qu'on présume être fixe ?

Autonomie et hétéronomie

En réalité, l'hétéronomie dans la conception juive nous montre que la Loi, d'une manière cachée, invite l'homme, le Juif, à décider de ses actes dans une totale autonomie, précisément dans le domaine qui ne relève que de l'éthique.

Généralement, la *halakhah* s'inspire du conseil que le roi Salomon nous donne dans ses Proverbes : « dans toutes tes *voies*, connais-Le[2] », connais Dieu : connaître dans le sens indiqué pour le verbe *yadoa* : Le connaître par l'« intelligence » et « s'attacher », s'unir à Lui par l'« amour », à l'image du verset du livre de la Genèse : « L'homme connut [s'unit] à Ève sa femme[3]... »

Les sages dans le Talmud relèvent l'importance du mot *bakol*[4] dans l'exhortation du roi Salomon que nous venons

---

1. Genèse 18, 19 ; Psaumes 119, 1. *TB Sanhédrin* 90a ; *TB Babba qamma* 100a ; *TB Babba metsia* 30b ; *TB Sotah* 14a. *Lev. R.* 25, 3. RAMBAM, *Michneh Torah*, *Hilkhot Déot* III, 3. R. A. Y. H. KOOK, *Orot HaKodesh*, III, p. 199.

2. Proverbes 3, 6. *TB Berakhot* 63a. Voir *TB Bétsah* 16a. Voir *Avot* II, 12. R. MOSHÉ ISSERLES (REMA, XVIe s.), *Choulhan Aroukh*, *Orakh Hayyim* 1, 1. R. DOV BER DE MEZRITCH, *Magguide Devarav LeYaakov*, 95, p. 164 ; 194, p. 311 ; 197, p. 318. *Tora Or*, p. 80. *Sefat Emet* V, p. 38. R. A. Y. H. KOOK, *Orot HaKodesh*, I, p. 123, 124 ; III, p. 199.

3. Voir Genèse 4, 1 ; 18, 19 et RACHI, *ad loc.* Exode 2, 25. RAMBAM, *Iggéret HaKodesh*. MAHARAL, *Netivot Olam*, I, *Netiv HaTorah*, 14, p. 24a. *Tanya*, *Liqqouté Amarim*, III, p. 9b ; 42, p. 59b.

4. RAMBAM, *Michneh Torah*, *Hilkhot Déot* III, 2-3. R. YEHOUDAH HÈ-HASSID, *Séfer Hassidim* (éd. Margaliot), 46, p. 105.

de citer : « Connais-Le dans *toutes* tes voies », c'est-à-dire partout et toujours tu es en mesure de réaliser des *mitsvot*, et cela même en dehors de leur nombre impressionnant de 613 ; 248 correspondent à tous les organes de ton corps, à tout ton être ; 365 correspondent aux jours de l'année [1], à tout ton temps. Car, si tu es toi-même *mezoukakh* (« purifié »), tu trouveras toujours l'occasion et le moyen d'accomplir une *mitsvah* [2].

Le principe de lifnim michourat hadîn *(« au-delà de la Loi » et « à l'intérieur de la Loi »). Loi et Esprit. L'Esprit de la Loi est intégré à la Loi ; il est le cœur de la Loi ; il justifie la Loi*

Toutefois, Ramban (Na<u>h</u>manide, 1194-1270) relève des circonstances dans la vie de l'homme qui ne sont pas prévues par la Loi. Comment procéder alors ? La réponse se trouve, écrit Na<u>h</u>manide dans son commentaire sur la Torah [3], dans l'application du principe que la Loi appelle : *lifnim michourat hadîn*, ce qui veut dire littéralement « au-delà de la Loi », mais ce qui signifie, selon nous, « à l'intérieur de la Loi », dans l'esprit même de la Loi. Pour résoudre son dilemme, l'homme peut recourir au dépassement de la Loi, par l'application du principe : *lifnim michourat hadîn* [4]. Ce dépassement de la Loi, le célèbre docteur de la Loi, Rav (IIIe s. [5]), le considère comme une Loi, un *dîn* [6].

1. *TB Makkot* 23a. *Tan<u>h</u>ouma*, *Eikev* 1. *Zohar* I, 170b ; II, 82b, 96b ; III, 110b. *Tiqqouné HaZohar* 36 (78a) et 48 (81b) ; *Zohar <u>H</u>adash*, *Tissa* 44a. *Targoum Jonathan*, *ad Gen.* 1, 27.
2. *TJ Berakhot* IX, 5.
3. RAMBAM, *Ad Deut.* 6, 18.
4. Voir *TB Babba qamma* 30a ; *Mekhilta*, Exode 18, 20. Voir *TB Sanhédrin* 6b.
5. Voir *TJ Chevouot* VI, 4 ; *TB Babba metsia* 33a et RACHI, *ad loc.*
6. *TB Sanhédrin* 6b ; RAMBAM, *Michneh Torah*, *Hilkhot Sanhédrin*

C'est un paradoxe à l'honneur dans le système juridique hébreu : un « au-delà de la Loi » qui est intégré à la Loi, incorporé dans la Loi même[1]. Mais, fait caractéristique, cet « au-delà de la Loi » se réfère exclusivement à des situations exceptionnelles, d'ordre moral, personnel.

Le principe de *lifnim michourat hadîn* s'appuie sur ce verset du Deutéronome : « Fais ce qui est juste et bon *[tov]* aux yeux de Dieu[2] », c'est-à-dire à la lumière de ta foi en Dieu, de ta connaissance de la volonté de Dieu, considère toi-même ce qu'il est juste de faire dans les situations où la Loi ne t'éclaire pas. Toutefois, ce verset est précédé par celui-ci : « gardez les commandements, les *mitsvot*, de l'Éternel, les statuts et les lois qu'Il t'a ordonnés[3]. » Ce qui signifie : si auparavant tu as respecté les *mitsvot*, maintenant que ton être est purifié, spiritualisé par leur observance, tu peux, par ta propre intuition, éclairée de l'intérieur, trouver la réponse qui n'est pas prévue dans la Loi : tu la trouveras au cœur de la Loi, dans son intériorité. En d'autres termes : ta conscience te dira ce que tu dois faire pour que cela soit considéré comme juste et bon aux yeux de Dieu.

XII, 4. *TB Houllin* 130b ; *TB Babba metsia* 33a et RACHI, *ad loc.*, 83a et RACHI, *ad loc. TB Ketoubbot* 49b-50a, RACHI et *Tosafot*, *ad loc. TB Qiddouchin* 32a et *Tosafot*, *ad loc.*, 71a ; *TB Pesahim* 113b ; *TB Megillah* 28a. Proverbes 2, 20 ; *TJ Péah* I, 1 ; *Choulhan Aroukh*, *Hoshen Mishpat* 264 ; *TB Berakhot* 7a ; *TB Avodah zarah* 4b.

1. *TJ Babba qamma* VIII, 4 ; *TB Ketoubbot* 61a. RAMBAM, *Michneh Torah, Hilkhot Avadim* IX, 8 ; *Choulhan Aroukh*, *Orakh Hayyim* 149. R. S. FEDERBUSH, *HaMousar VeHaMichpat* (New York, 5704) ; R. HAYYIM YOSSEF DAVID AZOULAÏ (HIDA, XVIIIe-XIXe s.), *Yaïr Ozen*, I, 13.

2. Deutéronome 6, 18 et RACHI, *ad loc.*

3. *Avot* VI, 3. *TB Berakhot* 5a ; *TB Avodah zarah* 19b.

La conscience s'identifie au cœur. Le cœur sent et comprend

Bien que le judaïsme ne connaisse pas d'éthique, il la désigne sous le nom du *tov* (le bien), auquel tu aspires et que tu es appelé à acquérir par la Torah et les *mitsvot* ; le judaïsme ne connaît pas non plus le terme « conscience » (d'ailleurs c'est Philon le Juif qui l'a formulée pour la première fois en lui donnant ce nom), mais il identifie la conscience au *lev* (« cœur[1] »). Pour le *Tanakh* et la *Gemara*, la Bible hébraïque et le Talmud comme pour toute la littérature religieuse juive, le cœur n'a pas seulement la faculté de sentir, mais également d'entendre, de comprendre[2].

Des situations limites. De graves dilemmes et leurs difficiles solutions. Le croyant formé par la Torah et forgé par les mitsvot *cherche des réponses dans son « cœur pur », dans sa conscience éclairée par la lumière de la Torah et affermie par sa foi en Dieu « donneur de la Torah » !*

L'homme, le Juif croyant, se trouvant dans une situation limite, dans un dilemme où il ne sait comment agir, fait appel à son cœur, se fie à sa conscience, la sachant pénétrée par la crainte et l'amour de Dieu, auteur de la Torah et des *mitsvot*. Il implore Dieu, comme l'a fait le roi David : « crée en moi, ô mon Dieu, un cœur pur[3] » !

Voici un exemple émouvant de situation limite, de

---

1. *TB Berakhot* 7b ; *TB Babba metsia* 58b, 62a. 1 Samuel 24, 4-5. *TB Sanhédrin* 26a ; *TB Niddah* 12a.
2. *TB Berakhot* 60a. *Zohar* II, 121a, 201a ; III, 28b, 123b, 235b. *Tiqqouné HaZohar* 13b.
3. Psaumes 51, 12.

dilemme déchirant : « deux hommes sont en route dans le désert, et ne disposent que d'une seule cruche d'eau. Si les deux boivent, ils meurent tous les deux, si l'un d'eux boit, lui seul arrivera à sa destination, en terre habitée. »

Dois-tu aimer ton prochain plus que toi-même ?

Que faire ? Ben Petora pense qu'il est mieux que les deux meurent, plutôt que l'un d'eux voie son ami mourir [1]. Mais Rabbi Aqiva (celui-là même qui fait du précepte de l'amour du prochain le fondement de la Torah !), se référant au verset de la Torah : *Vekhei a̱hikha imakh* [2], « que ton frère vive avec toi », pense que le mot *imakh*, « avec toi », sous-entend : que « ta vie passe avant la vie de ton prochain [3] » — ce qui veut dire : tu as le droit de privilégier la sauvegarde de ta propre vie, quand ta vie et celle de ton prochain sont en même temps en danger [4].

Cependant, il y a un principe halakhique qui dit : « on ne repousse pas une vie en faveur d'une autre vie [5] », c'est-à-dire on ne sacrifie pas une vie pour sauver une autre vie... (Des situations terrifiantes, analogues à celle que je viens d'évoquer, ont été réellement vécues par nos frères et sœurs, pendant la Choah, dans les camps de la mort, à Auschwitz et ailleurs [6].)

Lorsque la Loi écrite ne répond pas explicitement, le Juif cherche la réponse dans son cœur, dans le tréfonds de son âme, qui s'ouvre alors humblement à Dieu, Lui demandant

---

1. *TB Babba metsia* 62a.
2. Lévitique 25, 36.
3. *TB Babba metsia* 33a.
4. Voir *TB Sanhédrin* 9b ; *TB Yevamot* 25b.
5. *TB Sanhédrin* 72b. *Michnah*, *Ohalot* VII, 6 ; *Teroumot* VIII, 12. *TJ Chabbat* XIV, 4.
6. R. EFRAÏM OSHRI, *Mi-Ma'amakim* (New York, 1949, 1963, 1969). R. TSEVI HIRSCH MEISEL, *Mekadshei HaChem* (Chicago, 1955).

Son aide, Son illumination[1]. Alors il découvre la réponse que Dieu Lui-même a inscrite dans son cœur, comme Il l'avait promis au prophète Jérémie : « Je ferai pénétrer Ma Torah en eux, c'est dans leur cœur que Je l'inscrirai[2]. »

Voilà donc un exemple frappant de l'autonomie morale de l'homme ; elle est dictée par l'hétéronomie même de Dieu.

Le principe de lifnim michourat hadîn *interdit au Juif de se servir d'une interprétation possible fondée sur une « lettre », une loi de la Torah, qui le favoriserait au détriment de son prochain et notamment lorsque celui-ci est en difficulté ; il lui est interdit d'agir contre l'« esprit », contre le « cœur » de cette « lettre », de cette « Loi ». Respecter le principe de* lifnim michourat hadîn *signifie observer la « vertu de piété »*

Mais même quand la Loi est claire et permet de commettre une faute morale dans un cadre légal, le Juif ne doit pas s'en prévaloir. Il ne doit pas se servir de la lettre de la Loi pour agir contre l'esprit de la Loi. C'est toujours l'esprit de la Loi qui compte, qui purifie et vivifie la lettre.

Par exemple, dans certaines circonstances, la Loi pourrait permettre d'agir au désavantage de son prochain, en usant d'arguments fondés sur des motifs formels juridiques. Mais le principe de *lifnim michourat hadîn*, de l'« au-delà de la Loi », que Maïmonide assimile au principe talmudique de *middat hasidout*[3], de « vertu de piété[4] », intervient pour

1. Proverbes 2, 12.
2. Jérémie 31, 32.
3. *TB Houllin* 130b ; *TB Babba metsia* 52b. RAMBAM, *Michneh Torah, Hilkhot Déot* I, 5 ; *Choulhan Aroukh, Hoshen Mishpat* 282.
4. *TB Babba metsia* 30b, 83a. *TB Babba qamma* 94b et RACHI. *Michnah Teroumot* VIII, 12. *TJ Teroumot* VIII, 4. *Gen. R.* 94.

dissuader le Juif de léser son prochain, en s'abritant derrière un formalisme légal[1]. Le juge fait appel à sa conscience pour qu'il *renonce* à son droit en faveur de son prochain, surtout lorsque celui-ci est en difficulté[2].

Au sujet de ce qu'on appelle la relation entre la lettre et l'esprit[3], voici ce que Nahmanide écrit dans son commentaire sur la Torah (Lévitique 19, 2), au début de la péricope qui commence par l'exhortation : « soyez saints, car Je suis saint, Moi, l'Éternel, votre Dieu[4]. » « La Torah — dit le Ramban — nous demande de ne pas transgresser les lois concernant les unions prohibées ou la nourriture interdite. Mais elle permet l'union conjugale et la consommation des aliments et des boissons [sous-entendu : cacher]. L'homme cupide pourrait alors se dire qu'il lui est légalement permis de s'adonner à la débauche avec sa propre femme ou à la gourmandise et à l'ivrognerie. Pour se justifier, il invoquerait le fait que la Torah n'interdit pas expressément ces choses ! Cet homme doit être considéré comme un *naval birechout haTorah*, un insensé qui croit agir avec la permission de la Torah !... »

« C'est pourquoi, après avoir énuméré tous les interdits,

---

1. *TB Ketoubbot* 97a ; *TB Berakhot* 45b ; *TB Babba qamma* 99b ; *TB Babba metsia* 24b, 30b, 33a, 83a, 108a ; *TB Babba qamma* 108a et RACHI, *ad loc.* RAMBAM, *Michneh Torah, Hilkhot Shekheinim* XII, 1 ; XIV, 5. *TJ Péah* I, 1. *Tosafot Ketoubbot* 49b, *Qiddouchin* 32a, *Babba qamma* 99b, *Babba metsia* 24b. *Teshouvot HaRashba*, 745 ; *Teshouvot HaRambam* 89. RAMBAM, *Michneh Torah, Hilkhot Shekheinim* XIV, 5 ; *Choulhan Aroukh, Hoshen Mishpat* 96, 175, 259. R. MOSHÉ SOFER (XVIIIe-XIXe s.), *Hatam Sofer, Yoré Déa*, 239. *TB Megillah* 28a ; *TB Ketoubbot* 97a ; *TB Babba qamma* 99b ; *TB Babba metsia* 30b ; *TB Babba batra* 15b. *TJ Sotah* V, 6.

2. *Choulhan Aroukh, Hoshen Mishpat* 12 ; 259 et commentaires.

3. Romains 2, 29 ; 7, 6. 2 Corinthiens 3, 6. Voir *TB Chabbat* 87a ; *Avot deRabbi Nathan* 2 ; *Deut. R.* 5, 12.

4. Voir RAMBAN, *Ad Deut.* 6, 18. RAMBAM, *Michneh Torah, Hilkhot Issourei Bi'a* XXI, 9. R. BAHYA, *Ad Lev.* 19, 2 ; RAMHAL, *Messilat Yesharim* XIII.

l'Écriture sainte énonce ce commandement de caractère général : "soyez saints", éloignez-vous de ce qui est superflu... », écrit Nahmanide. Et nos sages de préciser dans le Talmud : « sanctifie-toi par ce qui t'est permis[1]... »

Ainsi, le formalisme « sodomite » de la Loi, la lettre, ne doit pas être invoqué pour se soustraire au respect de l'esprit de la Loi ; bien au contraire, la lettre contient l'esprit[2].

La vie morale est une vie d'éveil permanent, de choix constant, de combats ininterrompus, de victoires précaires ; une vie consacrée à la quête du tov *(le bien), à la recherche de l'*emet *(la vérité), inatteignables dans leur totalité, dans leur suprême expression, ici-bas, dans ce monde, où le Juif est invité à « se préparer » à accéder à un « monde entièrement bon », clairement, intelligiblement « vrai ». Pourtant, la* menou ha nekhona *(le « juste repos ») à laquelle le* tsaddiq *(le « juste ») parvient dans le « monde supérieur », n'est pas un repos « immobile », passif. C'est un repos actif, dynamique, qui pousse le « juste » à avancer sans cesse, afin d'atteindre à un bien et à une vérité devenus toujours plus parfaits au cours de cette « montée »*

Dans le judaïsme, la vie dite morale est une vie qui se déroule conformément à la Torah et aux *mitsvot* : une vie d'éveil, de choix constant, de combat même[3], lequel, mené à bien, donne au combattant la force d'entreprendre un nouveau combat.

---

1. *TB Yevamot* 20a ; *Sifré, Deut.* 14, 21. Voir Ecclésiaste 3, 16. *TB Ketoubbot* 103a ; *TB Babba batra* 12b et 59a. RAMBAM, *Michneh Torah, Hilkhot Shekheinim* I, 3 ; XII, 5.
2. Voir *TB Berakhot* 5. *Zohar* I, 201a.
3. R. CHNÉOUR ZALMAN DE LYADI, *Tanya* IX ; *Tora Or*, p. 18.

Ce combat est personnifié par le combat entre l'âme animale et l'âme intellectuelle de l'homme. Il vise à élever l'âme inférieure, qui « désire », jusqu'à l'âme supérieure, qui « comprend ». Purifiée, l'âme unifiée pourra s'intégrer à l'Âme des âmes, à Dieu [1]. La vie se développe ainsi dans une tension ininterrompue entre liberté et discipline, élan et retenue, enthousiasme et réflexion, innovation et permanence, doute et confiance en soi, inquiétude et joie.

Cette joie doit être *simha chel mitsvah* [2], joie de la *mitsvah* accomplie qui engendre une autre *mitsvah*, joie qui recèle l'avant-goût du bien que nous connaîtrons dans un monde entièrement bon *(tov)* ! « Tu verras ton monde — le véritable monde : le monde à venir, tu le trouveras ici-bas — pendant que tu vis encore [3]. »

Cette vie aspire à de nouvelles bonnes actions, mais aussi à la *menouha*, au « repos » qu'on ne peut atteindre ici-bas et qui n'est pas accordé aux justes même dans le monde à venir, où ils jouissent pourtant de la félicité [4]. Car le Juif doit avancer sans cesse d'accomplissement en accomplissement [5], avec le désir ardent de toucher au moins aux limites du *tov*.

Pour conclure notre aperçu, incomplet, nous faisons appel au prophète Michée, qui nous rappelle l'essentiel des exigences morales qui peuvent nous rendre dignes de toucher au bien : « Homme, on t'a dit ce qui est *bien* et ce que Dieu demande de toi : pratiquer la justice, aimer la bonté et marcher humblement avec ton Dieu. »

---

1. *TB Chabbat* 30b. *TJ Soukkah* V, 1. *Zohar* I, 180b.
2. *TB Berakhot* 17a. Voir *Zohar* I, 207b.
3. *TB Berakhot* 17a.
4. *TB Avodah zarah* 20b. *Zohar* III, 81a.
5. Voir Psaumes 84, 8. *TB Berakhot* 64a ; *TB Moed qatan* 29a. *Zohar* II, 134b.

RABBI ÉLIYAHOU, LE GAON DE VILNA, ET RABBI HAYYIM DE VOLOJINE

Les grandes orientations éthiques de leur école Consensus et controverses avec l'école de Rabbi Israël Baal Chem Tov

Les vertus de l'homme « simple » et « intègre ». Ce qui importe dans le « service de Dieu », c'est surtout l'action droite et sincère

On serait tenté de dire que la compréhension de Rabbi Éliyahou (le Gaon de Vilna, 1720-1797), et de Rabbi Hayyim de Volojine (1749-1821) à l'égard du *iché pachout* (« l'homme simple ») qui ne peut pas étudier la Torah et qui toutefois applique les *mitsvot* (préceptes de la Torah) sans savoir pourquoi, rejoint celle d'un Rabbi Yehoudah HaLévi (1080-1145), d'un Bahya ibn Pakouda (XIe-XIIe s.) et surtout d'un Rabbi Israël Baal Chem Tov (1699-1760), grands défenseurs des gens simples mais intègres. Il faut dire aussi que l'insistance avec laquelle Rabbi Hayyim rappelle ce principe qui lui est devenu cher et qu'il formule ainsi : « Ce qui importe dans le service de Dieu, c'est surtout l'action simple mais sincère[1] », l'apparente à Rabbi Aharon de Barcelone (XIVe s.), l'auteur du *Séfer Hahinoukh*. On serait donc tenté de voir en Rabbi Hayyim de Volojine, cet intellectuel subtil, un défenseur de l'homme simple. Certes, la pureté du cœur[2], l'intention droite[3], la préparation spirituelle à l'accomplissement d'une *mitsvah*, font de celle-ci une *mitsvah* « excellente », « choisie[4] », réalisée dans les meilleures conditions religieuses. Mais une *hakhana* (« préparation[5] » spirituelle) imparfaite ne nous dispense pas d'accomplir la *mitsvah*.

Dieu a doté chaque mitsvah *de la Torah d'un pouvoir spirituel qui « sanctifie » celui qui l'accomplit*

Rabbi Hayyim, à l'instar du Baal Chem Tov, demande l'action, car l'action est susceptible de purifier l'âme de celui

---

1. R. Hayyim de Volojine, *Néphech HaHayyim* (Vilna, 5634), IV, III, 18b. R. Yehoudah HaLévi, *Kouzari*, I, 2-3.

2. Voir *Sifré*, *Deut.* 6, 5. *TB Berakhot* 13a. *Zohar* II, 93b, 162b, 197b-198a. Rachi, *Ps.* 25, 1. Rambam, *In Séfer HaMitsvot*, *Mitsvah* 5.

3. Voir *Néphech HaHayyim*, IV, II, 38b et IV, III, 38b. *TB Berakhot* 13a ; *Pesahim* 114b ; *Soukkah* 42a et *Tosafot*, *ad loc.* Rachi, *Chabbat* 119b, *Érouvin* 95b, *Roch ha-chanah* 18a. *Roch ha-chanah* 28b et Rabbenou Nissim Gerondi (Ran, XIVe s.), *ad loc. Nedarim* 62a et Ran, *ad loc.* Roch, *Nedarim* 51a. *Zohar* I, 155a ; *Tiqqouné HaZohar* 11a ; *Choulhan Aroukh*, *Orah Hayyim* 60 et *Michnah Berourah*, *ad loc.* Bah, *Orah Hayyim*, 8 ; Beit Yossef, *Orah Hayyim*, 589. R. Isaac Louria, *Liqqouté Torah* (Jérusalem, 5732), *Eikev*. R. Éliyahou Vidas (1550-1588), *Reichit Hokhmah* (Venise, 1589), *Peirek HaMitsvot*, VII. R. Éléazar Hazikri (1533-1600), *Séfer Hareidim* (Jérusalem, 5732), *Hakdamah*. R. Moïse Hayyim Luzzatto, *Messilat Yecharim* (Tel-Aviv, 5717), XVII. R. Avraham de Sohatchov (XIXe-XXe s.), *Neot HaDéché* (Tel-Aviv, 5732), 188.

4. *Néphech HaHayyim*, IV, III, 38b. *TB Nazir* 23a ; *Nedarim* 62a. *Liqqouté Torah*, *Ari HaKadoche*, 192.

5. *Michnah Berourah*, *Orah Hayyim* 60.

qui accomplit la *mitsvah*. Toutefois, le chef de la *yechivah* (école talmudique) de Volojine, se distancie nettement du père du mouvement hassidique, lorsque ce dernier affirme que c'est surtout la spontanéité et l'émotion qui font la valeur de la *mitsvah*, qui la conditionnent[1]. À cela, le *Roch Yechivah* de Volojine réplique que c'est sa réalisation même, régulière et consciencieuse, qui fait la valeur de la *mitsvah*, qui ennoblit celui qui l'accomplit. En effet, l'auteur divin, le donneur de la Torah accompagne la *mitsvah* qu'Il nous commande d'un pouvoir intérieur spirituel qui transforme, grandit et « sanctifie » celui qui l'accomplit. Si nous attendions que notre *kavvanah* (« intention ») d'accomplir la *mitsvah* soit pure de toute « pensée étrangère », nous ne serions que très rarement prêts à l'accomplir, nous ne parviendrions que rarement au mérite préliminaire qui nous rendrait dignes de l'aborder. Dans ce cas, nous ne pourrions pas nous acquitter, par exemple, de la *mitsvah* de la *matsah* (« pain azyme »), le premier soir de Pessah, parce que notre *kavvanah* ne serait pas encore parfaite avant de commencer la célébration du *séder* (« repas pascal »). Or, affirme Rabbi Hayyim, la Torah nous commande : « Vous mangerez de la *matsah* le premier soir de Pessah », même si notre *kavvanah* n'est pas parfaite, nous ne sommes pas dispensés de ce commandement divin, et nous ne pouvons pas attendre le parachèvement de notre *kavvanah* qui ne pourrait se produire qu'après Pessah[2]...

1. Voir *Michnah Berakhot* V, 1. *Zohar* II, 186a ; III, 253b.

2. *Néphech HaHayyim*, III, IV, 36a. Exode 18 ; Deutéronome 16. *TB Nazir* 23a.

L'étude de la Torah est le fondement de la vie religieuse juive

Cependant, le Gaon de Vilna et son disciple Rabbi Hayyim de Volojine, Juifs lituaniens rigoristes et rationalistes par excellence, se distancient de Rabbi Israël Baal Chem Tov (le Becht) et de son école wolhynienne et polonaise, lorsque ceux-ci osent affirmer que l'étude de la Torah ne constitue pas le fondement même de la vie religieuse juive, de tout l'édifice des *mitsvot*. Lorsque parut le livre du disciple du Becht, *Toldot Yaakov Yossef*, dont le contenu pouvait faire croire que l'étude de la Torah n'est pas d'une importance primordiale, et que sa valeur dépend de la *devéqout* (parfait « attachement » à Dieu [1]) — attachement que les Juifs studieux doivent éprouver pendant qu'ils se penchent sur les textes sacrés de la Torah —, le Gaon de Vilna sortit de sa réserve et souscrivit la fameuse condamnation du hassidisme. Le Gaon affirma, avec plus de force encore que son ami et disciple Rabbi Hayyim, que réduire la place de la Torah dans la vie du peuple juif est une atteinte à sa vie même. Sur ce point, son contemporain Rabbi Chnéour Zalman de Lyadi (1745-1813), l'érudit fondateur de l'École hassidique intellectualiste *(Habad)*, se sentit, dans les tréfonds de son âme, en plein accord avec le Gaon [2] : dommage qu'il n'ait pas obtenu une audience chez ce dernier pour le rassurer personnellement sur ce point essentiel de leur foi juive, sur leur conception de la vie du peuple juif, peuple de la Torah.

---

1. R. HAYYIM DE VOLOJINE, *Rouah Hayyim* (Jérusalem, s.d.), *Avot* VI, 1, 87 ; voir aussi *Néphech HaHayyim*, IV, II, 38b. R. YEHOUDAH HÈ-HASSID, *Séfer Hassidim* (Jérusalem, 5724), 289. R. CHNÉOUR ZALMAN DE LYADI, *Tanya*, *Liqqouté Amarim* (Kfar Habad-New York, 5726), IX. R. YAAKOV YOSSEF DE POLONNOYE, *Toldot Yaakov Yossef* (Jérusalem, 5722), *VaYétsé*.

2. Voir *Tanya*, *Kountress Ahron*, 155a. R. CHNÉOUR ZALMAN DE LYADI, *Torah Or* (New York-Kfar Habad, 5738), 82b.

Étudier la Torah pour l'amour de Dieu qui la donne ou pour la Torah elle-même

Cependant, d'une part, Vilna et Volojine, centres des *mitnaggedim* (« opposants ») au hassidisme, d'autre part, Polonnoye et Lyadi, citadelles du hassidisme, ne s'entendent pas sur la nature et la fonction de la *devéqout* (l'« attachement », l'« adhésion ») dans le *limoud haTorah* (l'« étude de la Torah »). Pour l'école du Becht et particulièrement pour son disciple Rabbi Yaakov Yossef Kohen (XVIIIe s.), l'auteur du *Toldot* (le premier à avoir mis par écrit les pensées du maître hassidique), le *limoud haTorah* n'est valable que lorsqu'il s'accomplit dans la *devéqout*, ce qui signifie dans l'amour de Dieu. Étudier la Torah dans la *devéqout* veut dire *limoud haTorah lichma* (« apprendre la Torah pour Son Nom »), ce qui veut dire, pour les *hassidim*, pour l'« amour de Son Nom », donc de Dieu ; moins pour l'amour de la Torah que pour l'amour du *noten haTorah* (« donneur de la Torah [1] »).

---

1. Voir *Tanya*, V ; XXXVII. *Néphech HaHayyim*, IV, II, 38b et IV, VI, 39b ; *Rouah Hayyim*, *Avot* VI, 1, 88. *Sifré*, *VaEthanan* ; *Eikev* ; *Nasso*. *TB Nedarim* 51a et ROCH, *ad loc.*, 62a. *Avodah Zarah* 17b. *Cant. R.* 1. *Zohar* I, 138a, 142a, 152b, 193a ; II, 210a ; III, 176a. RACHI, *Taanit* 7a, *Babba metsia* 85b. RAN, *Nedarim* 62a. BAH, *Orah Hayyim*, 47. R. LŒW BEN BEZALEL, *Netivot Olam*, I, *Netiv HaAvoda* (Tel-Aviv, 5716), 50b ; voir aussi *Tiféret Israël* (Tel-Aviv, 5714), 69 ; et *Dèrekh Hayyim* (Tel-Aviv, 5704), 132. R. PINEHAS HALÉVI HOROWITZ (1731-1805), *Séfer HaMakné*, II, *Haflaah* (Offenbach, 5661), *Pitha Zeïra*. R. LÉVI YITSHAK DE BERDITCHEV (1740-1809), *Kedouchat Lévi* (Munkacs, 5623), 55b. R. ISRAËL DE KOZNITZ, *Avodat Israël* (Munkacs, 5689), *Likkoutim*. R. YOSSEF HAYYIM DE BAGDAD (BEN ICH HAÏ, 1832-1909), *Od Yossef Haï* (Jérusalem, 5718), 139. R. YEHOUDAH ARIÉ LEIB DE GOUR (1847-1905), *Sefat Emet* (Jérusalem, 5731), V, 83-84. R. YAAKOV MOCHÉ HARLAP, *Mikhtevei Merom* (Jérusalem, 5748), 15. R. YEHOUDAH LEIB HALÉVI ASHLAG, *Talmoud Esser Sefirot* (Jérusalem, 5716), I, 13.

Il n'y a pas d'amour de Dieu sans amour d'Israël, sans étude de la Torah et sans prière

En effet, c'est l'amour de Dieu qui constitue le but suprême et ultime de la vie du croyant juif. Or, les *hassidim* prétendent que très peu nombreux sont les *talmidé hakhamim* (érudits dans la Torah) qui peuvent atteindre ce but par le *limoud haTorah*, en fait, les exigences à remplir pour arriver à un véritable amour de Dieu sont immenses, elles dépassent le plus souvent les capacités de l'homme pour qui il est difficile de penser simultanément à la Torah qu'il étudie en profondeur et à Dieu qui lui donne la Torah. Pour la plupart des croyants, l'amour de Dieu est donc immédiatement réalisable soit par l'amour d'Israël[1], c'est-à-dire des Juifs, soit par la voie de la prière qui, elle, n'exige qu'une concentration intérieure capable d'embrasser à la fois la Personne de Dieu qu'on supplie et la parole avec laquelle on Le supplie[2]. Pour le disciple du Becht, l'amour de Dieu se reflète directement dans l'amour d'Israël avec lequel on est en contact immédiat, existentiel, et ensuite dans l'amour de la Torah, qu'on est appelé à apprendre, pour en appliquer les *mitsvot*. « Dieu, la Torah et Israël constituent une unité », affirment avec force les *hassidim* en se référant au *Zohar*

1. Voir *TB Berakhot* 30a ; *Chabbat* 12b ; *Babba qamma* 92a. *Nb. R.* 13. *Eikha R.* 3. *Zohar* I, 234a ; II, 44b. *Kouzari*, III. RACHI, *Chabbat* 127b. MAÏMONIDE, *Michneh Torah*, *Hilkhot Tefilla* VIII. R. HAYYIM VITAL, *Peri Eits Hayyim* (Lemberg, 5685), *Chaar HaKorbanot*, II. R. YAAKOV YOSSEF DE POLONNOYE, *Ben Porat Yossef* (New York, 5714), *Hakdamah*. R. KELONIMOS KALMAN (XIXe s.), *Maor VaChémech* (Jérusalem, 5736), *Michpatim*.

2. Cependant, les *hassidim*, pour qui l'œuvre majeure de la mystique juive est le *Zohar*, n'ignorent pas que le même *Zohar* (I, 202b) affirme que « celui qui veut que sa prière soit agréée par le Saint, béni soit-Il, doit s'occuper intensément de la Torah » ! Voir *TJ Berakhot* IV, 1. *Sifré*, *Eikev*. *TB Berakhot* 30b, 31a, 61b ; *Roch ha-chanah* 27b, 29a ; *Taanit* 2a, 4a, 8a. *Exode R.* 22, 4. *Choheir Tov*, 100 ; *Tanna devei Eliyahou*, 28. *Zohar* I, 124b, 155b, 196b ; II, 63b ; III, 124a, 267a. *Tiqqouné*

(III, 73a [1]). Chaque Juif a son âme enracinée dans la *knesset Israël* (la communauté d'Israël) qui, elle, a les racines de son âme en Dieu, Donneur de la Torah. En aimant Israël, on aime Dieu, car on aime aussi celui que Dieu aime le plus. Selon les *hassidim*, pendant la prière, l'homme juif peut vivre la *devéqout* [2], soutenir sa *kavvanah* (son attention dans la *devéqout*) d'une manière beaucoup plus continue que pendant l'étude de la Torah [3]. Rabbi Hayyim de Volojine et les autres disciples du Gaon de Vilna répondent que, certes, l'amour de Dieu est le but suprême de la vie de chaque Juif, mais cet amour ne peut être atteint efficacement que par la Torah [4]. Car, par la Torah, Dieu nous communique Sa Parole, Sa volonté, avec lesquelles Il fait un ; en nous mettant en rapport avec Sa Parole par la

---

HaZohar 10b, 40b. RACHI, *Berakhot* 5b, 28b. R. BAHYA IBN PAKOUDA, *Hovot HaLevavot*, *Chaar Hechbon HaNéphech*, III. RAMBAM, *Peirouche HaMichnayot*, *Makkot*, III, 16 ; voir aussi *Michneh Torah*, *Hilkhot Yessodei HaTorah* II, 1-2 ; *Hilkhot Techouva* X, 6 ; *Hilkhot Tefilla* IV, 16. R. YOSSEF KARO (1488-1575), *Choulhan Aroukh*, *Orah Hayyim* 98, 1. R. HAYYIM VITAL, *Peri Eits Hayyim*, *Chaar Keriat Chema*, XII. R. ÉLIYAHOU VIDAS, *Reichit Hokhmah*, *Chaar HaKedouchah*, XVI. LE MAHARAL, *Netivot Olam*, II, *Netiv Ahavat HaChem*, I. *Tanya*, *Liqqouté Amarim*, XXXVIII, 102. R. HAYYIM ATTAR (1696-1743), *Or HaHayyim*, *Deut.* 6, 5. R. AVRAHAM YITSHAK HAKOHEN KOOK (1865-1935), *Orot HaTechouva* (Jérusalem, 5685), 117.

1. *Néphech HaHayyim*, IV, XI, 40b. Voir *Hagigah* 35a. RACHI, *Berakhot* 11b, *Babba metsia* 85b.

2. Voir R. DOV BER (LE MAGGUIDE DE MEZRITCH, 1704-1772), *Magguide Devarav LeYaakov* (Jérusalem, 5736), 51, 73 ; 55, 81 ; 161, 257-262 ; 181, 282.

3. R. NAHMAN DE BRATSLAV (1772-1811), parlant du devoir d'étudier la Torah, recommande de « faire de la Torah même une prière ». *Liqqouté Moharan* (Jérusalem, 5729), II, 25, 23b. Voir LE MAHARAL, *Netiv HaAvoda*, II, 31b.

4. *Tanya*, *Liqqouté Amarim*, V, 9b-10a ; L, 70b ; *Iggéret HaKodèche*, V, 109 ; X, 115 ; XXIII, 135b. *Néphech HaHayyim*, III, II, 36b ; IV, I, 38a et III, 38b. *Rouah Hayyim*, *Avot* VI, 1, 87-89. R. ÉLIYAHOU, *Biourei HaGra al Aggadot*, II, 50. Voir *Sifré*, *VaEthanan*, 6, 5 ; *Eikev*, 11, 3. *TJ Sanhédrin* XI. *TB Berakhot* 10a et RACHI, *ad loc.*, 17a, 21a, 54a,

Torah, avec Sa volonté [1] par les *mitsvot* que la Torah nous fait connaître, nous nous mettons en relation avec Lui, directement, personnellement.

Israël n'est une réalité que grâce à la Torah ; il vit aussi longtemps qu'il vit dans la Torah

Dieu s'attache à la Torah et la Torah s'attache à Israël, et ils constituent ainsi une unité, selon les mêmes paroles du *Zohar* que Rabbi H̱ayyim cite : « Dieu, la Torah, et Israël ne font qu'un. » Pour aimer Dieu, il faut d'abord aimer la Torah

---

59. *Chabbat* 89a ; *Taanit* 7a et RACHI, *ad loc. Qiddouchin* 10b ; *Avodah zarah* 17a ; *Nedarim* 62a et ROCH, *ad loc. Nedarim* 81a et RAN, *ad loc. Exode R.* 2 ; 33. *Deut. R.* 7 ; 8. *Cant. R.* 1. *Avot de Rabbi Nathan*, 4. *Tanna devei Eliyahou Rabba*, 6. *Tanẖouma*, *Noaẖ*, 3, *Tissa* 34. *Zohar* I, 82b, 134, 142a, 168a ; II, 87b, 90b, 223a ; III, 52-53, 60b, 79a, 113a, 123a, 160b, 176a, 260b, 278b. *Tiqqouné HaZohar* 10a. RACHI, *Babba metsia* 85b, *Sanhédrin* 58. R. MENAHEM RECANATI, *HaRecanati* (Lemberg, 5640), *Bechalaẖ*. LE MAHARAL, *Dèrekh H̱ayyim*, *Avot* 62, 99, 111, 139, 214 ; voir aussi *Gevourot HaChem* (Tel-Aviv, 5715), 118 ; et *Netivot Olam*, I, *Netiv Ha Torah*, 13a-b ; *Netiv HaAvoda*, 50b. R. MOÏSE ALCHEIKH, *Torat Moché* (Varsovie, s.d.), *Bereichit*. R. SHEMOUËL SHMELKE HOROWITZ DE NIKOLSBURG (1726-1778), *Divrei Shemouël* (Jérusalem, 5734), 155. *Toldot Ya'akov Yossef, VaYétsé*. *Magguide Devarav LeYaakov*, 134, 236. *Kedouchat Levi*, *Kedoucha richona*. R. YOSSEF DOV BER HALÉVI (XIXe s.), *Beit HaLévi* (Varsovie, 5644), *Chemot*, 45, 51-52. *Maamarei Rabbeinou Yérouham*, 139. R. AVRAHAM DE SLONIM (XIXe s.), *Be'eir Avraham* (Jérusalem, 5730), 113. R. AVRAHAM DE SOHATCHOV (XIXe-XXe s.), *Avnei Neizer* (Jérusalem, 5733), 9. R. SHEMOUËL DE SOHATCHOV (XXe s.), *Shem MiShemouël*, *Haggada chel Pessah* (Jérusalem, 5725), 112. *Sefat Emet*, IV, 31, 43, 47, 51 ; V, 54, 132, 166. R. NAFTALI TSEVI YEHOUDAH BERLINE, HANETSIV (XXe s.), *Haamek Davar* (Jérusalem, 5619), V, *Deut.* 108. R. A. Y. H. KOOK, *Orot HaKodèche* (Jérusalem, 5723, 5724, 5710), II, 608 ; III, 116. R. Y. M. HARLAP, *Mei Merom*, *Avot* 93, 153, 157, 171, 177. R. YITSHAK HUTNER (XXe s.), *Pahad Yitshak* (New York, 5731), *Shavouot*.

1. *Tanya*, *Liqqouté Amarim*, V.

(or, « aimer » veut dire « connaître [1] » !) et ensuite, nécessairement, aimer Israël. Car bien que la Torah et Israël soient tous deux appelés *rechit* [2], « premiers » parus dans la pensée de Dieu, prémices de Sa volonté, la Torah a la primauté. Il est vrai qu'ils sont tous deux au-dessus du monde, tout en étant projetés en lui, car tous deux ont précédé la création du monde. Cependant, la Torah, elle, fut créée par Dieu avant qu'Il ne créât le monde, tandis qu'Israël fut seulement conçu par Dieu avant qu'Il ne créât le monde ; il ne fut créé qu'après la création du monde. Et si Israël est l'aboutissement et la condition même de la survie du monde, c'est uniquement en fonction de la Torah dont il est dépositaire [3]. En fait, Israël n'est réalité que grâce à la Torah ; il vit aussi longtemps qu'il vit dans la Torah. En lui donnant la Torah, « Dieu a mis en Israël une vie éternelle [4] » ; à l'instant où il se séparerait de la Torah, il mourrait, comme le poisson meurt en quittant l'eau, selon l'image du Midrach ; dès l'instant où Israël ne s'accrocherait plus au *èts hayyim* (l'« arbre de la vie ») qu'est la Torah, il se noierait dans les eaux tumultueuses de la vie, affirme Rabbi Hayyim, le fondateur de la *yechivah* de Volojine, *yechivah* qu'il appelle précisément *èts Hayyim*.

---

1. Voir Genèse 4, 1. RACHI, *Gen.* 18, 19. *Magguide Devarav LeYaakov*, 181, 282.

2. *Gen. R.* I.

3. *Néphech HaHayyim*, IV, XXV, 46b et XXVI, 47a. *Rouah Hayyim*, *Avot* VI, 1, 89. Voir *TB Chabbat* 88a ; *Pesahim* 68b ; *Nedarim* 32a ; *Avodah zarah* 3a. RACHI *Sanhédrin* 99b, *Deut. R.* 8. *Zohar* I, 24b, 77a, 89a ; II, 94a, 149a, 200a ; III, 11b, 193a. R. TSEVI ÉLIMELEKH DE DYNOW (XIXe s.), *B'nei Issashar* (Israël, s.d.), 24b. *Haamek Davar*, V, *Deut.*, 216.

4. *Massékhet Sofrim*, XII, 5. *Néphech HaHayyim*, IV, XXXII, 49b-50a. Voir *TB Qiddouchin* 30b ; *Avodah zarah* 3b. *Zohar* III, 42a.

La prière monte d'en bas ; la Torah descend d'en haut. Lorsque le Juif étudie la Torah, Dieu S'associe à lui ; lorsque le Juif prie avec ardeur, il nous apparaît debout dans les Cieux

Certes, la prière est une *mitsvah*, quoiqu'on ne s'entende pas très bien sur sa définition halakhique : son caractère est-il « défini par la Bible elle-même » ou est-il déduit « par l'interprétation rabbinique » ? Est-il *deoraïta* ou *derabbanan* [1] ? Car, si elle n'était pas une *mitsvah*, comment le pauvre être humain oserait-il s'adresser à Dieu, Le Louer, se mettre en relation avec Lui ? Preuve en est la double appellation que le Juif emploie en s'adressant à son Dieu : il Lui dit directement « Toi », mais il se réfère aussi à Lui en Le nommant « Il » ; il L'éprouve présent *(nokhah̲)*, tout proche de Lui, mais il sait aussi qu'Il est caché *(nistar)*, insaisissable [2]. Et pourtant le Juif sait, sent que par la prière il se rend proche de Lui. Il reçoit Sa Parole, écoute Sa voix ; Dieu lui répond. Toutefois, la prière qui monte d'en bas ne peut se comparer, souligne Rabbi H̲ayyim de Volojine, à la Torah qui vient d'en haut et dont l'étude constitue pour l'homme juif, selon tous les maîtres de la *halakhah*, un devoir, une *mitsvah* d'importance primordiale [3]. De plus, dans l'accomplissement de cette *mitsvah* humaine, Dieu collabore avec l'homme. Car Dieu ne prie pas [4], mais Il étudie la Torah.

---

1. Voir Maïmonide, *Séfer HaMitsvot*, Mitsvat Assé 5 ; voir aussi *Michneh Torah*, *Hilkhot Tefilla* I, 1. Nahmanide, *Séfer HaMitsvot*, 5. R. David Tsevi Hoffmann (1843-1921), *Séfer Bereichit*, *Peirouche* (B'nei Brak, 5731), II, 432. R. Nathan Tsevi Finkel (le Saba de Slobodka, 1849-1927), *Or HaTsafoun* (Jérusalem, 5719 et 5728), 221.

2. *Néphech HaH̲ayyim*, II, III, 21a.

3. *Tanya*, *Liqqouté Amarim*, XXXVII, 49a. Voir *TJ Péah* I, 1. Le Maharal, *Derachot* (Jérusalem, 5728), *Hesped*, 15. R. Meïr Simha Kohen (XIXe-XXe s.), *Méchekh H̲okhma* (Jérusalem, 5714), *Kedochim*. *Pah̲ad Yitshak*, *Shavouot*.

4. Il ne fait pas de doute que l'éminent talmudiste que fut Rabbi

Quoiqu'Il ne prie pas, Dieu s'associe aux Juifs en prière ; Il souffre avec eux lorsqu'ils souffrent. « Il est dans la détresse avec eux [1] », lorsqu'ils sont dans la détresse. Oui, Dieu étudie la Torah [2], affirme Rabbi Hayyim, et lorsqu'un Juif prononce une parole de la Torah, Rabbi Hayyim a la certitude qu'en même temps Dieu prononce la même parole. Et encore, rappelle-t-il, la prière représente seulement *hayei sha'a* (« la vie de l'heure passagère »), tandis que la Torah, elle, représente *hayei olam* (« la vie éternelle [3] »). Oui, il est aussi vrai, assure Rabbi Hayyim, comme les *hassidim*, que lorsque le Juif prie avec une « fervente [4] » *kavvanah*, et c'est ainsi qu'il doit prier, il nous apparaît dépouillé de toute matérialité, de tout intérêt personnel, comme s'il était debout dans les Cieux, comme s'il n'était pas de ce monde et dans ce monde.

Hayyim de Volojine n'ignorait pas ce que le Talmud (*Berakhot* 7a) affirme : « Comment sait-on que Dieu Lui-même prie ? C'est qu'il est dit : "Je les amènerai sur la montagne sainte et Je les réjouirai dans Ma maison de prières" (Isaïe 56, 7) ; il n'est pas dit de leurs prières, mais des miennes » ; donc Il prie aussi. Et que demande-t-Il ? « Puisse-t-il arriver que Ma miséricorde l'emporte sur Ma colère, que Ma générosité se révèle dans toutes Mes actions, que Je me montre favorable à Mes enfants, et que Je les traite mieux que ne le mérite leur conduite ! » Voir aussi *Berakhot* 6a : « Dieu se trouve présent dans la Synagogue ; que peut-il être écrit dans les phylactères que porte le Maître de l'univers ? »

1. Voir *TB Berakhot* 3a ; *Sotah* 31a ; *Sanhédrin* 46a. *Zohar* I, 120b ; II, 156a ; III, 17a, 74b. *Tiqqouné HaZohar*, *Tikkoun* 6 (23a).

2. *TB Avodah zarah* 3b.

3. *Néphech HaHayyim*, IV, XXVI, 47a. R. ÉLIYAHOU, *Adéret Eliyahou* (Tel-Aviv, s.d.), 371. Voir *TB Chabbat* 10a ; *Sotah* 21a. *Zohar* I, 92a, 132a, 167a, 175b, 199b ; II, 134b. *Zohar Hadache*, *Chir HaChirim*, 70. *Tiqqouné HaZohar*, *Tikkoun* 69. *Shem MiShemouël* (Jérusalem, 5725), *Bereichit*, 323-324. *Sefat Emat*, V, 152. *Haamek Davar*, *Deut.* 48-49.

4. *Néphech HaHayyim*, IV, II, 38b ; *Rouah Hayyim*, *Avot* VI, 1, 87.

Le lieu où l'on étudie la Torah a une plus grande importance religieuse que celui où l'on prie

Toutefois, ce même Rabbi Hayyim préfère, suivant l'enseignement du Talmud, le Juif qui aborde dans l'étude de la Torah une question pratique halakhique, dont il doit connaître la réponse pour parachever, en tant qu'homme et non en tant qu'ange qu'il dépasse de loin, l'édifice de ce monde et l'union de tous les mondes dont il est, lui, l'homme la somme et l'expression (l'ange n'est que le représentant de son monde). En faisant cela, l'homme s'élève plus haut que le récitant des Psaumes, à l'instar de l'auteur du livre de *Tehillim*, le roi David, dont la plus grave et la plus grande tâche qu'il se reconnut fut de répondre selon la *halakhah* à des questions pratiques difficiles. Le *bet hamidrach* (lieu d'étude de la Torah) est, selon la *halakhah*, plus saint que le *bet haknesset* (lieu de prières [1]) ; le *bet hamikdach* lui-même (le Temple de Jérusalem) est le lieu saint par excellence, car il est à la fois un lieu d'étude, d'interprétation de la Torah et de prière [2]. Rabbi Hayyim nous rappelle

---

1. Voir *TB Megillah* 27. RAMBAM, *Michneh Torah*, *Hilkhot Tefilla* VIII, 3.

2. Voir *Avot* V, 20. RAMBAM, *Michneh Torah*, *Hilkhot Mamrim* I, 1, 4 ; voir aussi *Hilkhot Sanhédrin* I, 3. R. ÉLIYAHOU, *Siddour Ichei Israël* (Jérusalem, 5728), 29. *Tanya*, *Kountress Ahron*, 154b, 155a. Voir *Sifré*, *Eikev*. *TJ Roch ha-chanah* IV, 8. *TB Berakhot* 2a ; *Tosafot*, *ad loc.*, 3b, 5a, 21a, 28b, 31a et RACHI, *ad loc.*, 32b, 34a ; *Tosafot*, *ad loc.*, 64a. *Niddah* 70b. *Lev. R.* 21 ; *Tanna devei Eliyahou Rabba* 2 ; 14. *Choheir Tov*, 17. *Zohar* I, 24a, 202b. RAMBAM, *Michneh Torah*, *Hilkhot Tefilla* IV, 18. LE MAHARAL, *Netivot Olam*, II, *Netiv HaTemimout*, 164. Voir *Berakhot* 6b et *Maharsha*, *ad loc.* *Toldot Yaakov Yossef*, *Bereichit*. R. DOV BER DE MEZRITCH, *Or Torah* (Jérusalem, 5731), *Bereichit*. *B'nei Issaskhar*, 104a. R. MENAHEM NAHOUM DE TCHERNOBYL, *Meor Einaïm* (Lublin, 5688), *Bereichit*, *Pinehas*. R. ÉLIMÈLEKH DE LYZHANSK (1717-1787), *Noam Elimèlekh* (Jérusalem, 5738), *Tazri'a*. R. MOCHÉ YEHIEL HALÉVI DE OJROW, *Be'eir Moché* (Tel-Aviv, 5729), *Devarim*. *Shem MiShemouël*, *Bemidbar*, 7. *Maamarei Rabbei-*

la parole de nos sages, qui disent que depuis le jour où le *bet hamikdach* fut détruit, « Dieu ne possède dans Son monde que quatre coudées de la *halakhah*[1] », donc l'étude de la Torah en vue de son application pratique[2]. Dieu crée continuellement le monde ; Il le fait par Sa Parole[3]. Or, la Parole de Dieu est avant tout *halakhah*, qui doit diriger nos actes[4]. Et pour que l'action humaine réponde à la volonté divine, elle doit correspondre à la Torah et à ses *mitsvot* ; pour que celles-ci soient authentiques dans leur conception et dans leur accomplissement, elles doivent être recherchées par l'étude de la Torah. Ceux qui les recherchent, dans la sainteté de leur conduite, dans la pureté de leur *kavvanah*, les

---

nou Yérouham, 20. *Or HaTsafoun*, 221. *Haamek Davar*, *VaYéra*. R. A. Y. H. Kook, *Olat Reyia* (Jérusalem, 5709, 5722), I, 19, 317 ; voir aussi *Orot HaTorah* (Jérusalem, 5733), VI, 8 ; XIII, 1.

1. *Néphech HaHayyim*, IV, VI, 40a. Voir *TB Berakhot* 8a. *Zohar* III, 202a ; mais voir aussi *TB Chabbat* 31b.

2. R. Éliyahou, *Séfer Michlei im Peirouche HaGra* (Tel-Aviv, s.d.), *Commentaire Prov.* 4 ; 5 ; 9. R. Chnéour Zalman de Lyadi, *Choulhan Aroukh Harav, Hilkhot Talmud Torah* II, III. *Néphech HaHayyim*, IV, VI, 39b. Voir *TB Qiddouchin* 40b ; *Nedarim* 51a ; *Sotah* 44a. *Zohar* I. *Hachmatot*, 266a ; III, 190b. *Tiqqouné HaZohar* 6a. Rachi, *Babba qamma* 17a. Rambam, *Michneh Torah, Hilkhot Yessodei HaTorah* IV, 3. *Choulhan Aroukh, Yoré Déa*, 242, *Rema*. R. Aharon HaLévi de Barcelone, *Séfer HaHinoukh* (Jérusalem, s.d.), 419. Le Maharal, *Netivot Olam*, I, *Netiv HaTorah*, 14a-b ; voir aussi *Peirouchei Maharal miPrague LeAggadot HaShass*, I (Jérusalem, 5718), *Qiddouchin* 40b, 93-94 ; et *Dèrekh Hayyim, Avot* 17-18, 139. *Kedouchat Lévi*, 105a. *Neot Hadéché*, 88. *Shem MiShemouël*, *Bereichit*, 323-324 ; *Devarim*, 38. *Sefat Emet*, IV, 73, 82, 84, 91, 99. *Beit HaLévi*, *al HaTorah*, *Chemot*, 40, 54. R. A. Y. H. Kook, *Olat Reyia*, II, 275. Mais voir aussi *Tanya*, *Liqqouté Amarim*, V. *Sifré*, *Eikev*. *TB Chabbat* 83b ; *Sanhédrin* 51b, 71a ; *Avodah zarah* 19a. *Lev. R.* 19. *Tanna devei Eliyahou zouta*, 2. *Choheir Tov*, 17. *Séfer Hassidim*, 764. R. A. Y. H Kook, *Chabbat HaArets* (Jérusalem, 5732), 61-62. R. Éliyahou Éliézer Dessler, *Mikhtav MiEliyahou* (Jérusalem, 5719, 5723, 5724), III, 55-58.

3. *Tanya*, *Chaar HaYihoud VeHaEmounah*, I, 76b. *Néphech HaHayyim*, IV, VI.

4. *Néphech HaHayyim* , IV, VI, 39b. *TB Sanhédrin* 87a.

talmidé hakhamim (saints érudits dans la Torah), en « innovant » dans la Torah par leurs *hiddouché Torah*, « innovent » le monde, le renouvellent en le parachevant, et deviennent ainsi les « compagnons de Dieu dans la création première, continuelle du monde ».

Exercices spirituels avant et pendant l'étude de la Torah

Il est donc bon d'étudier la Torah avec *devéqout*, avec *kavvanah*, de précéder toute étude de la Torah d'un acte de *viddouï*[1], d'un examen de conscience, d'introduire même, écrit Rabbi Hayyim, de tels arrêts de *viddouï* (« confession ») pendant l'étude de la Torah. Mais pour être capable de tels exercices spirituels, au début, au milieu et à la fin de chaque séance d'étude, il est nécessaire d'étudier la Torah sans cesse, comme l'ont fait nos *hakhamim*, c'est-à-dire d'étudier la Torah « pour son nom » à elle, pour elle-même. En cela Rabbi Hayyim de Volojine suit l'interprétation du terme *lichma*, « pour son nom », qui est donnée par le Roch, R. Acher ben R. Yehiel (1250-1328), en contradiction avec Rachi, R. Salomon ben Isaac (1040-1105) qui, lui, comprend ce terme *lichma*, malgré le fait qu'il soit écrit au féminin, comme *leChem Chamayim*, c'est-à-dire « pour le nom des Cieux », de Dieu[2]. Lorsque vous étudiez, nous conseille Rabbi Hayyim, pensez aux questions qui vous sont posées par votre texte de la Torah, sanctifiez-vous par l'examen objectif de ces questions, et « l'aide des Cieux », la grâce divine vous en facilitera la solution, vous la rendra plus aisée. Oui, la *kavvanah*, impeccable, est parfois indispen-

1. *Néphech HaHayyim*, IV, VI et VII, 39b.

2. *Néphech HaHayyim*, IV, III, 38b. Voir *TJ Hagigah* I, 7. *TB Chabbat* 63a ; *Pesahim* 50b ; *Nedarim* 62a et *Roch*, *ad loc.* ; *Nedarim* 81a et RAN, *ad loc.* R. YECHAYAHOU HALÉVI HOROWITZ, *Chenei Louhot Haberit* (Jérusalem, 5730-5732), II, 93a.

sable pendant l'étude, et c'est justement lorsque vous avez devant vous un texte de la *Aggadah* (l'homilétique), qui vous paraît facile à comprendre. Le Gaon, extrêmement sensible à l'importance du contenu aggadique, nous avertit : devant un tel texte aggadique, approfondissez votre *devéqout*, et sachez bien que des choses cachées, essentielles peuvent émerger de la *Aggadah*, en face d'elle, je vous demande une concentration particulière, intérieure, spirituelle, car la *Aggadah* rejoint les sphères les plus hautes de la mystique [1].

La « concentration » spirituelle pendant la prière

Certes, selon la *halakhah*, à certains moments, la *kavvanah*, la « concentration » spirituelle, est indispensable. Par exemple, lorsque nous récitons le premier verset du *Chema* [2] (la profession de foi) [Deutéronome 6, 4] ; mais cette *kavvanah* est exigée de nous précisément à cause du caractère toraïque de ce passage [3]. D'ailleurs, la motivation première et constante de la prière se trouve dans la Torah, sa valeur même tient à son caractère toraïque. C'est pourquoi le Gaon de Vilna, lui, récitait toutes les prières avec une *kavvanah* parfaite : il les lisait toutes dans le livre des prières, pour ne se tromper ni de mot ni même d'une

---

1. Voir *TJ Sanhédrin* XI, 3. *TB Sotah* 49a ; *Hagigah* 14a. *Zohar* I, 234b ; III, 50b. *Zohar H̱adache* 70b.

2. Voir *TB Berakhot* 13a, mais voir aussi *ibid.* 20b. *Tour et Choulhan Aroukh*, *Oraẖ H̱ayyim*, 60, 63. *Peri Eits H̱ayyim*, *Chaar HaTefilla*, VII. R. AVRAHAM DE SLONIM, *Yessod HaAvoda* (Jérusalem, 5719), 60. RAMBAM, *Michneh Torah*, *Hilkhot Tefilla* IV, 15. *Liqqouté Moharan*, II, 43b, 44. *Reichit H̱okhmah*, *Chaar HaKedouchah*, XVI. *Tanya*, *Liqqouté Amarim*, XXXVIII, 50a.

3. R. ÉLIYAHOU, *Siddour Ichei Israël*, 29 ; voir aussi *Biourei HaGra al Aggadot* (Israël, 5731), II, 55. *TB Chabbat* 119b ; *Menaẖot* 99b ; *Sotah* 42a. *Zohar* III, 264b.

nuance d'accentuation. Il prononçait clairement chaque mot de la prière, faisant sienne la demande du fondateur du hassidisme, de Becht, le rendre chaque *téva* (« mot » de la prière) clair, cristallin, comme l'est une « fenêtre » propre.

Et pourtant, l'importance de la prière, sa portée, est moins grande que celle de la Torah.

La prière valorise cette part du temps où elle doit être accomplie ; l'étude de la Torah valorise le temps dans son intégralité

La prière étant une *mitsvah*, elle doit être prononcée, avec ponctualité, à un moment déterminé (Rabbi Hayyim de Volojine reproche aux *hassidim* de négliger cet élément très exigeant de la *halakhah*.) En prononçant la prière au moment qui lui est assigné, le croyant valorise le temps qui est le sien : car c'est dans et par la prière que doit s'opérer le passage d'une période de la journée ou de la nuit à une autre.

Cependant, la Torah, elle, veut valoriser le temps tout entier. L'obligation d'étudier la Torah incombe aux Juifs à chaque instant de la journée et de la nuit (Josué 1, 8 [1]). Et la vie du croyant juif n'est vraiment vie que lorsqu'elle se confond, s'identifie avec la Torah, qui est à l'origine du temps et lui donne son sens. (Car la Torah, le temps, le

---

1. R. ÉLIYAHOU, *Séfer Michlei im Peirouche HaGra*, *Commentaire* Proverbes 5, 7 ; voir aussi *Siddour Ichei Israël*, 29. Voir *TJ Berakhot* IX, 5. *TB Berakhot* 5a ; *Chabbat* 83b, voir aussi *ibid.* 31b, *Megillah* 3a et RACHI et *Tosafot*, *ad loc. Hagigah* 10b, 23a ; *Taanit* 7a et RACHI, *ad loc. Sotah* 49a et RACHI, *ad loc. Avot de Rabbi Nathan*, 3. *Zohar* I, 12b, 52a, 92a, 152b, 242a ; II, 46a, 166a ; III, 23a, 46a. *Tanhouma*, *Re'ei*. RAMBAM, *Hilkhot Talmud Torah*, I, 1. R. ÉLIÉZER DE METZ (1115-1198), *Séfer HaYereim* (Vilna), *Mitsvah* 27. *Chelah HaKadoche*, III, 70b. *Or HaTsafoun*, 221. *Haamek Davar*, *VaYéra*. *Olat Reyia*, I, 61.

monde furent créés par Dieu ; par l'étude de la Torah, le Juif continue à créer le temps.) Lorsque le Juif prononce les paroles de la Torah, il choisit la vie [1]. Lorsque les paroles de la Torah ne sont pas prononcées, la vie se tait. Sans la vie de la Torah, la vie s'éteint.

L'étude de la Torah est une mitsvah, *qui « englobe » toutes les autres* mitsvot

Le *Talmud Torah* (« étude de la Torah ») est la première des *mitsvot colelot* [2] (*mitsvot* générales, englobantes). Son *hiouv* (« obligation »), qui nous incombe de l'accomplir, concerne tout moment de la journée et de la nuit. À tout moment de notre vie, elle est actuelle, générale, comme l'est la *mitsvah* de la « foi » *(èmounah)* pour ceux des *poseqim* (« décisionnaires » halakhiques), qui la comptent au nombre des *mitsvot*, par opposition aux *poseqim* qui pensent qu'on ne peut ordonner une *mitsvah* qui relève du cœur, de la libre inclination du cœur. De plus, chaque *téva* [3] que nous prononçons et apprenons pendant l'étude

1. *Peirouchei HaGra, Michlei*, Proverbe 2 ; *Siddour Ichei Israël*, 29-30 ; *Biourei HaGra al Aggadot*, II, 85. *Néphech HaHayyim*, IV, XXXIII, 50a ; *Rouah Hayyim, Avot* VI, 1, 88-89. *TB Berakhot* 32b, 61b ; *Chabbat* 63a, 88b ; *Érouvin* 54a ; *Yoma* 72b ; *Qiddouchin* 30a ; *Avodah zarah* 3a. *Gen. R.* 1. *Zohar* I, 152b, 193a, 199b ; II, 134b ; III, 269a. *Tiqqouné HaZohar, Tiqqoun* 21 (49a).

2. *Siddour Ichei Israël*, 29-30. *Tanya, Liqqouté Amarim*, V. *TJ Péah* I, 1 ; *Hagigah* I, 7. RAMBAM, *Séfer HaMitsvot, Mitsvat Assé* 5 ; voir aussi *Hilkhot Talmud Torah*, III, 3-4. CHELAH HAKADOCHE, *Siddour Chaar HaChamaim* (Jérusalem, 5733), 37. *Avot deRabbi Nathan*, IV. R. A. Y. H. KOOK, *Olat Reyia*, I, 66.

3. R. ÉLIYAHOU, *Chenot Eliyahou, Péah* I, 1 ; voir aussi *Siddour Ichei Israël*, 29-30. *Néphech HaHayyim*, II, XIII, 25b ; XIV, 26a ; IV, VI, 39b. *Zohar* I, 100a ; II, 47b. *Zohar Hadache* 47a. ARI HAKADOCHE, *Liqqouté Torah*, 192. LE MAHARAL, *Netivot Olam*, I, *Netiv HaAvoda*, II, 32a. *Magguide Devarav LeYaakov*, 134, 236. *Kédouchat Lévi*, 76. Voir

de la Torah est non seulement une « fenêtre » à travers laquelle nous parvient une lumière réconfortante, mais constitue, selon le Gaon de Vilna, une *mitsvat assé*, sur le plan du *dîn*, de la Loi. Chaque *téva* a la valeur d'un « commandement positif », qu'il faut observer par l'« action » ; il possède la force d'un commandement d'actionnement... C'est pourquoi, conclut Rabbi Hayyim de Volojine, celui qui étudie la Torah accomplit un nombre incalculable de *mitsvot*. La seule *mitsvah* de l'étude de la Torah inspire, explique, contient beaucoup d'autres *mitsvot* de la Torah. Par l'étude que nous en faisons, la Torah est présente dans toutes les *mitsvot* ; elle nous en offre l'avant-goût, puis le goût, le *ta'am* (« raison »).

Nous comprendrons donc aisément pourquoi le temps du Gaon était presque totalement le temps de la Torah : il notait[1] chaque instant qu'il perdait « sans étudier la Torah », chaque instant de *bitoul Torah* ; et le jour de Kippour, lorsqu'il faisait la somme de son *bitoul Torah* pendant l'année écoulée, il se confessait amèrement, en pleurs, d'avoir gaspillé trois heures sans Torah. On comprend ainsi pourquoi, à sa sœur qui venait lui rendre visite à Vilna après une séparation de plusieurs années et qui désirait s'entretenir avec lui quelques instants, le Gaon répondit que le temps d'étudier la Torah ici-bas, dans ce monde, étant très bref, il

---

Zohar III, 105a. *Choulhan Aroukh, Orah Hayyim*, 98, 101. R. NAHMAN DE BRATSLAV (1772-1811), *Liqqouté Moharan* (Jérusalem, 5729), I, 9 ; 42. Voir *TB Érouvin* 54a. *Choulhan Aroukh, Orah Hayyim* 62, 1. *Zohar* III, 236a, 246a. *Hovot HaLevavot, Chaar hechbon HaNéphech*, III. *Siddour HaGueonim VeHaMekkoubalim* (Jérusalem, 5731-5732), II, 469. *Tanya, Liqqouté Amarim*, XL, 55a. Voir *Avot* VI, 4. *Zohar* III, 2a, 73a, 204a. *Toldot Yaakov Yossef, VaYétsé* ; *Ahrei* ; *Houkat*. *Magguide Devarav LeYaakov*, 118, 192 ; 192, 305. R. MOCHÉ HAYYIM ÉPHRAÏM DE SUDYLKOW (1740-1800), *Déguel HaMahané Éphraïm* (Pietrkow, 5672), *Liqqoutim*. *Sefat Emet*, IV, 64.

1. Voir *Chabbat* 12b, 42a. R. ISRAËL DE CHKLOW, *Peat HaChoulhan* (Safed, 5696), *Hakdamah*.

la priait de se retirer ; il lui promit, néanmoins, de s'entretenir plus longuement avec elle dans l'autre monde, où le devoir d'étudier la Torah n'est pas si pressant, où le temps dont on dispose est plus riche. Pour le Gaon de Vilna, le temps signifie donc Torah, et Torah est surtout parole, avons-nous déjà dit. Il est tellement précieux ce temps qui doit être continuellement approfondi, enrichi, que le Gaon ne se permettait même pas de le perdre en écrivant les « paroles de la Torah », les *divré Torah* : il ne faisait que noter très rapidement dans les marges de ses livres des remarques très brèves mais substantielles, dont le déchiffrement constitua — comme plus tard celui des notes du Gaon de Rogatchov, Rabbi Yossef Rosine (1858-1936), de la même école que lui — un sujet d'études et de recherches ardues. La « lettre » écrite *(ot)* n'est pour le Gaon de Vilna, suivant le *Zohar*, que le *gouf* (« corps ») de la Torah ; la ponctuation *(nekouda)* en constitue l'âme, car elle aide à la prononciation des lettres formant le *dibbour*, constituant leur « parole » ; tandis que les *teamim* (« accentuation ») révèlent la véritable pensée, l'authentique âme, qui est l'âme de la Torah, mais qui, elle, ne se laisse pas mettre par écrit. Le Gaon vivait dans les sphères supérieures de la Torah et ne voulait pas se donner le temps d'un *tsimtsoum*, pour se « concentrer » dans le corps des lettres écrites.

Le Gaon de Vilna savait que son temps à lui, qui se confondait entièrement avec la Torah, ne pouvait être le temps de n'importe quel Juif, de n'importe quel Juif instruit, de n'importe quel *talmid h̲akham*. Lui s'enfermait dans son *bet hamidrach*, tirait les rideaux de ses fenêtres pour ne pas être dérangé par la vue des passants, allumait les bougies, « transformait la nuit en jour », « dormait dans les tréfonds de la *halakhah* ». Mais pour les autres *talmidé h̲akhamim*, il prenait la peine d'établir des programmes systématiques d'étude de la Torah, selon l'âge, selon le degré des connaissances, dans un ordre clair et simple [1]. De cette manière, la Torah peut étendre son influence bénéfique sur la pensée et sur l'action, à la totalité du temps juif. Même quand le Juif s'occupait des besoins de l'heure, il agissait selon les règles de la Torah, restait en pensée uni à la Torah. En effet, le Gaon demandait aux Juifs d'apprendre par cœur au moins un traité du Talmud pour qu'ils puissent le réciter lorsqu'ils seraient en route ou à leur lieu de travail [2]. Le Gaon établit surtout un programme précis d'étude de la Torah pour les *yechivot* ; il précisa que la Torah devrait être étudiée dans un esprit de simplicité et de clarté, loin de toute casuistique inutile. Il le communiqua à celui qu'il considérait comme son ami et qui, lui, ne se considérait pas digne d'être appelé son disciple : Rabbi Hayyim de Volojine. Il demanda à ce dernier, qui avait le privilège d'être reçu par lui trois ou quatre fois par an, de fonder une *yechivah* pour y appliquer son programme et ses directives. Rabbi Hayyim ne s'estimait pas digne de le faire. À l'insistance de son maître, il réunit pourtant autour de lui dix jeunes *talmidé hakhamim* et constitua le noyau de la *yechivah* de Volojine ; celle-ci devait devenir très vite « la mère de toutes les *yechivot* », le guide spirituel de toutes les institutions de hautes études toraïques, qui ont prospéré jusqu'à nos jours dans le judaïsme. (Ce modeste début, appelé à influencer le judaïsme tout entier, nous rappelle un commencement similaire dans le judaïsme occidental, celui de Rabbi Samson Raphaël Hirsch [1808-1888], à Francfort, fondateur de l'école néo-orthodoxe juive, qui inaugura son action entouré uniquement de onze fidèles.)

---

1. *Tanya*, *Liqqouté Amarim*, V, 9b. *Tiqqouné HaZohar* 68b. ARI HAKADOCHE, *Liqqouté Torah*, *Eikev*, 192. *Magguide Devarav LeYaakov*, 134, 236.

2. Voir *TB Érouvin* 54a. *Zohar* I, 230a.

La préparation spirituelle de l'étude de la Torah

L'*ahavat Torah* (« amour de la Torah ») du Gaon de Vilna et la *harbatsat Torah* (diffusion de l'étude de la Torah) de Rabbi Hayyim de Volojine gagnèrent les cœurs des *hassidim* et, plus tard, ceux des *baalé hamousar*, les « maîtres de la morale » religieuse. Ces derniers appartenaient à un mouvement juif valorisant l'éthique et la psychologie, né sur les bancs mêmes de la *yechivah* de Volojine et de *yechivot* filles. Ce courant spiritualiste et aristocratique juif se développait parallèlement au courant spiritualiste, populaire, piétiste, hassidique. Le fondateur de l'école du *mousar* est, lui aussi, un Rabbi Israël, Rabbi Israël Lipkin, surnommé Salanter (1810-1883). Les successeurs de Rabbi Hayyim le combattirent pour des motifs semblables à ceux que le maître de Volojine utilisa dans ses combats contre le hassidisme. Selon eux, l'un et l'autre, le hassidisme et le *mousar*, consacraient trop de temps à la préparation spirituelle et personnelle à l'étude de la Torah. Le temps nécessaire à cette étude est trop court, trop précieux pour être gaspillé par une trop longue préparation [1]. Le chef de la *yechivah* de Volojine ne pardonnait pas aux jeunes disciples le « péché » de consacrer trop de temps à l'étude des *Sifré Yereïm* (livres de morale juive) qui inspirent la « crainte » de Dieu et qui exigent un examen personnel, sévère, de conscience, par réflexion approfondie. Un jeune qui étudie la Torah peut bien se dispenser de cette préparation. Car la Torah elle-même, par la « lumière [2] » qu'elle émet, se

1. Voir l'annexe p. 77-80.

2. *Peirouchei HaGra*, *Michlei*, Proverbes 18, 1. Voir *TB Berakhot* 5a et 6b ; *Yoma* 72b ; *Soukkah* 52b ; *Moed qatan* 21b ; *Qiddouchin* 30b ; *Babba qamma* 3a ; *Avodah zarah* 20b ; *Ketoubbot* 110b. *Zohar* I, 144b, 190a ; III, 80b, 268a. *Gen. R.* 22, *Eikhah. R.*, *Petihta* 2. *Avot deRabbi Nathan*, 20 ; *Tanna devei Eliyahou Zouta*, 16 ; *Choheir Tov*, 52, 119. RAMBAM, *Hilkhot Issourei Bi'a*, XXII, 21. LE MAHARAL, *Dèrekh Hayyim*, *Avot* 99, 111. RAV KOOK, *Orot Hakodèche*, III, 233.

charge d'assurer la stabilité psychique du jeune de la *yechivah*, d'éclairer son intelligence et de guider ses actes, en un mot : elle favorise la crainte de Dieu, condition, certes, indispensable, pour qu'on puisse se vouer dans la pureté de la pensée à l'étude de la Torah. C'est l'étude de la Torah qui doit constituer sa grande préoccupation. La « crainte de Dieu » (préoccupation principale des *baalé hamousar*), affirmait déjà la Bible, « doit précéder toute sagesse [1] », donc toute étude de la Torah, elle est un *kli kibboul* (« vase réceptif ») pour la Torah [2]. Il sied que ce lieu, que ce vase, soit propre pour recevoir et garder le contenu, le « trésor [3] », qui doit y être déposé ; qu'il y soit conservé et préservé d'éventuelles détériorations provoquées par des agents extérieurs. Mais il ne reste pas moins vrai que le contenu est la Torah. Toutefois, la crainte de Dieu qui, même entretenue avec soin, n'est pas remplie de la Torah, est un *kli reikan* (« vase vide »). L'amour doit toujours être préféré à la crainte. Et l'amour doit se porter sur la Torah. *Ahavat*

Néphech HaHayyim, III, III, 56a. Voir *TB Berakhot* 16b et 17a ; *Pesahim* 50b ; *Nazir* 23b. Le Maharal, *Avot* 52. *Beit HaLévi*, *Chemot*, 41, 43. *Shem MiShemouël*, *Bemidbar*, 379 ; *Be'eir Avraham*, 341. *Peirouche HaGra*, *Michlei*, Proverbes 1, 7 ; *Biourei HaGra al Aggadot*, II, 51 ; *Siddour Ichei Israël*, 306-309. *Néphech HaHayyim*, IV, I, 38a ; IV, V, 39a. Voir Psaumes 111, 10 ; Job 28, 28 et Rachi, *ad loc.* Daniel 2. Voir *TB Berakhot* 58a ; *Chabbat* 31a. *Exode R.* 1, 48. *Avot deRabbi Nathan*, 22. *Midrach Michlei*, 14. *Zohar* I, 11b ; *Zohar* III, 278b. *Tiqqouné HaZohar*, 5a. *Déguel Mahané Ephraïm*, *Chemot*. Rabbeinou Yona Gerondi, *Peirouchim al Massekhet Avot* (Jérusalem, 5726). R. Hayyim Vital, *Chaarei Kedoucha* (Jérusalem, 5686), I, II.

1. *Rouah Hayyim*, *Avot* III, 9, 52 ; *Néphech HaHayyim*, IV, V, 39b. Voir *Mekhilta*, *Yitro*. *TB Berakhot* 6b, 13a, 14b et *Tosafot*, *ad loc.*, *Chabbat* 31a, *Pesahim* 51a et Rachi, *ad loc.* *Yoma* 72b, mais voir Rachi, *ad loc.* *Exode R.* 30 ; *Deut. R.* 2. *Dèrekh Erets Zouta*, 10. *Zohar* II, 160b ; III, 108a, 278b. *Zohar Hadache* 27a. *Tiqqouné HaZohar* 5a-b ; 10a.

2. *Meor Einaïm*, *Yitro*.

3. *Néphech HaHayyim*, IV, VII, 40a. Voir *TB Chabbat* 31a. *Zohar* I, 11a. *Tiqqouné HaZohar*, 18a. *Be'eir Avraham*, 94.

Torah veyirat chamayim, l'« amour de la Torah » engendre la « crainte des Cieux », de Dieu ; d'autre part, la crainte de Dieu reconduit à l'amour de la Torah [1]. C'est l'amour de la Torah qui garde pure la crainte de Dieu.

Le commentaire du Gaon de Vilna sur le livre des Proverbes et l'ouvrage de Rabbi H̱ayyim de Volojine, L'Âme de la vie, *unissent rationalisme et mysticisme*

Très vite, les *ẖassidim* et les *anshé hamousar* (« hommes de la morale », du *mousar*), et avec eux tous les *b'nei Torah* (« fils de la Torah »), ayant des connaissances toraïques étendues, ont vu dans la *yechivah* de Volojine l'archétype du *limoud haTorah*, même si chacun des représentants de ces grands courants de la piété juive façonnait, individuellement et collectivement, le *limoud* de la manière qui convenait à leur esprit et à leurs traditions ; ils étoffaient le *limoud* de leur propre conception de la Torah, mais ils voyaient tous en Volojine le modèle qui devait rester présent à leur conscience. Pendant ce temps, le commentaire du Gaon de Vilna sur le *Séfer Michlé* (le livre des Proverbes) — commentaire constituant une synthèse de rationalisme et de mysticisme juifs, de rigueur et de chaleur toraïque — devient le livre de chevet à la fois des « grands de la Torah », du hassidisme et du *mousar* ; et le *Néphech haẖayyim (L'Âme de la vie)*, le livre maître de Rabbi H̱ayyim de Volojine, synthèse de rationalisme talmudique et de mysticisme lourian, est étudié avec respect et ferveur dans les *yechivot*, par les adeptes du hassidisme et du *mousar*. Quel paradoxe ! Ce sont justement ces deux livres, des deux géants de l'intellectualisme juif lituanien, qui ont été les premiers imprimés de tous leurs écrits. Eux, le Gaon et Rabbi H̱ayyim, qui préféraient traiter par écrit des questions de la *halakhah*, ont

---

1. Voir *TB Berakhot* 16b. *Zohar* I, 11b, 59a.

demandé que ces livres soient les premiers publiés, tant était grand leur amour d'Israël, qui n'était pas moins agissant en eux que celui de la Torah qu'ils personnifiaient. Ils n'ont presque rien publié de leur vivant, si grande était leur modestie, si ferme leur volonté de ne pas bénéficier des honneurs que la Torah pourrait leur procurer. Néanmoins, avant sa mort, le Gaon demanda à son fils Rabbi Abraham de s'occuper en premier lieu de la publication de son commentaire du livre des Proverbes ; et Rabbi Hayyim demanda avant sa mort à son fils, Rabbi Yitshak, de s'occuper en premier lieu de la publication de son livre *Néphech hahayyim*. En effet, l'un et l'autre, le Gaon et son disciple étaient des *oudé HaChem* (« serviteurs de Dieu »). Or, le commentaire du livre des Proverbes et le *Néphech hahayyim* avaient pour fin, comme leurs auteurs l'affirment avec insistance, l'*avodat HaChem* (« service de Dieu »).

Le « service de Dieu » est varié, multiple, comme la vie elle-même

Devenir un *oved HaChem* constitue l'idéal que poursuit l'Israélite depuis Abraham, Isaac et Jacob jusqu'au Gaon de Vilna, Rabbi Hayyim de Volojine, Rabbi Israël Baal Chem Tov, Rabbi Israël Salanter, Hafets Hayyim (Rabbi Israël Meïr HaKohen, 1838-1933) et Hazon Ich (Rabbi Avraham Yechayahou Karelitz, 1878-1953).

Certes, le service de Dieu n'a pas qu'un visage. Il est varié, multiple, comme la vie elle-même ; en effet, il englobe toute la vie. Il est ainsi conçu par la Loi et appliqué par la Tradition ; il correspond à la « racine de l'âme » de chaque Juif qui l'accomplit [1] ; il est ordonné selon les conceptions et structures de chaque famille spirituelle juive qui s'y consacre. Tout Juif qui vit selon les commandements de la Torah

1. *Peirouche HaGra*, *Michlei*, Proverbes 16, 1.

a droit, selon Rabbi Hayyim, au titre de *oved HaChem*. Car il agit dans la liberté, en s'affranchissant des contraintes que tentent d'exercer sur lui son propre corps et la société où il vit. Son action peut être libre, même si elle n'est pas réalisée avec *kavvanah* et dans une claire vision des objets des *mitsvot*. « Même s'il agit sans *kavvanah*, le Juif peut être appelé *oved HaChem*. » Car il n'y a pas d'*avoda*, répète Rabbi Hayyim, sans action. Or l'action d'un *oved HaChem*, même si elle n'est pas guidée par la *kavvanah*, est concrète et donc valable et même efficace dans l'ensemble des bonnes actions qui se produisent dans le monde, ainsi qu'une lettre du *Séfer Torah*, du rouleau de la Torah, même écrite sans *kavvanah*, garde sa validité et son efficacité dans l'ensemble des lettres qui composent le *Séfer Torah* ; au contraire, si une lettre, même écrite sans *kavvanah*, manquait au rouleau de la Torah, le rouleau tout entier ne serait pas *cacher* (utilisable pour le culte).

La crainte de Dieu et l'amour de Dieu. La « crainte inférieure » : la peur du châtiment ; la « crainte supérieure » : sérénité et élévation

La *avodat HaChem* suppose, par son nom même, que l'*oved HaChem* est en relation étroite avec son Maître, Dieu. L'*oved HaChem* se sent attaché à Dieu par sa condition même, ou désire être attaché à Dieu par l'aspiration de son être à sa Source. Le premier est un *oved HaChem meyir'a* (« serviteur de Dieu par crainte ») ; le second est un *oved HaChem meahava* (« serviteur de Dieu par amour »). Il va sans dire que, dans l'optique des sages d'Israël, ce dernier est plus élevé que le premier [1]. Car le premier s'acquitte des devoirs qui lui incombent et le second se réalise pleine-

1. Voir *TB Sotah* 31a. RAMBAM, *Peirouche HaMichnayot*, *Makkot*, III, 16, *Zohar* III, 267a. *Tiqqouné HaZohar*, 10b.

ment à travers eux. Mais une *avoda*, l'accomplissement ou la négligence des services, d'un travail assumé, présuppose un salaire ou des sanctions. L'*oved HaChem meyir'a*, c'est celui qui accomplit un acte de sagesse élémentaire. N'est-il pas, en effet, rempli par la crainte que lui inspire son Créateur, Maître et « racine de tous les mondes »... nous rappelle Rabbi Hayyim. Comment ne pas Le servir, Lui, qui par surcroît nous nourrit quotidiennement ? Comment négliger Son service et ne pas Le craindre, ne pas redouter les conséquences d'un refus de Le servir [1] ? À la peur du châtiment s'ajoute un sentiment de confusion à s'être opposé au Tout-Puissant. En effet, le Gaon de Vilna, suivant le *Zohar*, relève que le premier mot de la Torah, nous relatant la création du monde par Dieu, *be-réchit* (« au commencement »), se compose de deux mots : *yaré-bochet*. Selon lui, ces deux mots signifient : crains Dieu et aie honte de toi comme des hommes. Oui, la crainte de Dieu, de Celui qu'on ne connaît pas, est la manifestation première de toute religion. Mais en se développant, elle se libère de l'angoisse qui la précède, elle se détache de la peur qui est à son origine ; elle rejette la « peur inférieure », extérieure, et descend vers la véritable crainte de Dieu, intérieure, puis monte vers la « crainte supérieure », noble, vers une « crainte d'élévation », vers les sphères supérieures de la sérénité et de la sécurité. Dans ces sphères, il n'y a pas de place pour la peur des châtiments et des « méchants ». Seule, la crainte *(yir'a)* habitera le croyant ; il sera libéré de tout *pahad*, de toute *morah*, de toute peur d'un homme « de chair et de sang » ; comment éprouverait-il une telle peur, lui qui a une pleine confiance en l'Éternel, lui qui se réjouit de Sa protection ?

Voilà qu'il peut percevoir la Présence de Celui qu'il craignait même de loin par le *norah* [2], il Le « révère » à présent de tout près, car Il se révèle très proche de lui ; l'homme

1. Voir RACHI, *Gen.* 6, 3.
2. Psaumes 68, 36.

ressent Sa proximité immédiate. Auparavant, il agissait par crainte, mais maintenant il est confiant ; il ose marcher à la rencontre de Dieu ; il prend courageusement des initiatives dont il souhaite qu'elles soient approuvées par son Maître, car il marche sur Ses voies, sur les voies du Maître [1]. Ce craignant-Dieu devient un *ich* (« homme ») en pleine possession de ses forces, de ses vertus, réceptacles des forces et des vertus de son Maître.

Homme « intègre devant Dieu » et « droit » dans ses rapports avec autrui

Dans son commentaire du livre de Job, à propos du portrait que la Bible nous trace de ce héros tragique qu'est Job, le Gaon de Vilna relève qu'avant d'être décrit comme craignant-Dieu, Job est loué parce qu'il était *tam veyachar* (« intègre et droit [2] »). Et le Gaon écrit : « *tam* veut dire qu'il est intègre devant Dieu », dans son service de Dieu, car toutes ses actions ont été accomplies avec intégrité, sans détour : il n'a pas recherché ses propres intérêts. Et « *yachar* veut dire que, dans ses rapports avec les hommes, il a agi avec droiture ». Mais Job était aussi « craignant-Dieu », craignant d'agir contre la volonté de Dieu. La crainte d'être puni pour ne pas avoir accompli la volonté de son Créateur, tout comme l'espoir d'être récompensé pour l'avoir accomplie, sont étrangers à un tel craignant-Dieu. Il est désintéressé en ce qui concerne sa personne, mais non en ce qui concerne ses rapports avec Dieu. Car lorsqu'il atteint le degré de « crainte de l'élévation », ce craignant-Dieu qui est *tam* [3], « homme de foi », d'« intégrité », éprouve

1. *TJ Péah* I, 1. *TB Chabbat* 133b ; *Sotah* 14a. *Zohar* III, 278a.
2. *Biourei HaGra al Aggadot*, *Liqqouté HaGra*, II, 63 ; *Peirouche HaGra*, *Michlei*, Proverbes 19, 1.
3. *Derachot Maharal miPrague*, 46.

la proximité de son Dieu vers Lequel il s'est élevé, qui descend vers lui, qui s'approche de lui, qui est son Père, qu'il aime et qui l'aime ; Sa Présence, Son amour lui suffisent. Il ne calcule pas, ne suppute plus avantages ou préjudices. Il touche au but suprême, ultime, de son service de Dieu : l'amour de Dieu. Dans Son amour, dans Sa bonté pour lui, son Père lui offre deux présents en échange de ses premiers débuts « enfantins » dans la crainte de Dieu : « grâce et bienveillance aux yeux de Dieu et des hommes » ; ces dons récompensent la *yir'a* et la *boucha*, la « peur » de Dieu et la « honte » face aux hommes. En effet, il sait que Dieu est avec lui partout, car Il est le « Lieu du monde [1] ». Il n'essaie plus naïvement de se cacher devant Lui, comme son ancêtre jadis mortellement blessé par ses propres méfaits. À présent, au contraire, il recherche ardemment Sa Présence, car elle le vivifie et donne un sens à son existence. Il ne doute pas des récompenses qui l'attendent, non parce qu'il les attend, les désire, mais parce que Dieu est bon ; Il les lui « offrira » « demain » : ce qui importe, c'est d'exécuter « aujourd'hui » Ses ordres [2].

Aux derniers instants de sa vie, le Gaon tint dans ses mains affaiblies les *tsitsit*, les franges de son « petit châle » de prières, et murmura : « Ô, mon Dieu, comme Tu es bon : Tu me laisses accomplir encore une *mitsvah*, la *mitsvah* si importante des *tsitsit*, grâce à laquelle nous regardons vers Toi et nous souvenons de toutes les autres *mitsvot* ; Tu me laisses accomplir une si importante *mitsvah* qui demande si peu d'efforts : moi-même, en ces moments difficiles, j'en suis encore capable [3]. »

Voilà quelles étaient la préoccupation et la satisfaction du Gaon à l'heure suprême de sa vie, avant de laisser s'envoler

---

1. *Gen. R.* 68, 9. *Zohar* II, 207a. *Tiqqouné HaZohar*, *Tiqqoun* 26, 71b.
2. *TB Érouvin* 22a ; *Avodah zarah* 3a.
3. Voir *TB Chabbat* 30ab ; *Niddah* 61b.

son âme vers le monde en vue duquel il s'était « préparé » durant toute son existence — vers le monde où il espérait voir, comprendre enfin Dieu.

Oui, Dieu est bon aux yeux du Gaon, Rabbi Éliyahou, et du Rabbi Hayyim avant tout parce qu'Il les « gratifie du don des *mitsvot* », parce qu'Il les rend capables et dignes de les accomplir, et donc de Le servir [1].

La récompense des mitsvot *n'est pas donnée dans ce monde-ci, le « monde d'en bas » ; dans ce monde matériel aucune récompense ne pourrait correspondre à la valeur spirituelle des* mitsvot, *dont les « racines » se trouvent dans le « monde d'en haut ». L'homme, qui, dans son amour pour Dieu, observe Ses « commandements », ne doit pas en attendre une récompense. Ici-bas, « la récompense d'une* mitsvah *est la* mitsvah *elle-même », et la* mitsvah *qui la suit et engendre d'autres* mitsvot, *sans cesse...*

Dieu, qui a créé le monde dans Sa bonté et « pour faire du bien [2] », est immensément bon en cachant les trésors de bonté à l'intention de ceux qui L'ont craint [3]. Il n'y a pas de *mitsvah*, affirment les sages d'Israël, qui n'ait sa récompense, à laquelle la récompense dans le monde à venir ne soit liée [4]. Aucune *mitsvah* dont la racine est dans le monde infini ne peut recevoir de récompense suffisante, adéquate,

---

1. RAMBAM, *Peirouche HaMichnayot*, *Makkot*, III, 16.
2. *Néphech HaHayyim*, II, IV, 21a. R. HAYYIM VITAL, *Eits Hayyim* (Lemberg, 5624), I, 1.
3. Psaumes 31, 20. Voir *TJ Avodah zarah* III, 1. *TB Sotah* 31a. *Gen. R.* 1, 5 ; 44, 5. *Eccl. R.* 10, 2. *Tanhouma*, *Bereichit*, 1 ; *Eikev*, 1, 4. *Zohar* I, 3a ; II, 127a ; III, 88a.
4. *Mekhilta*, *Chemot*, 13, 2. *TB Qiddouchin* 39b ; *Menahot* 44a. *Tosafot*, *Babba qamma* 2a. *Exode R.* 9. *Peirouchei Maharal miPrague al Aggadot HaShass*, I, *Qiddouchin* 39b, 90-92.

dans ce monde fini ; en réalisant une *mitsvah*, l'homme ne fait que toucher à la racine de la chose[1] se trouvant au-delà de ce monde, car la « racine spirituelle » de la chose matérielle servant à l'accomplissement d'une *mitsvah* ici-bas se trouve dans le monde d'en haut. La récompense d'une *mitsvah* ne saurait se réduire à un plaisir passager éprouvé dans ce monde éphémère. L'avant-goût de la récompense « cachée » dans le monde à venir nous est donné dans les joies spirituelles que procurent l'étude de la Torah et l'accomplissement des *mitsvot*. « La récompense de la *mitsvah* est la *mitsvah* elle-même[2] », disent nos sages dans la Michnah. Mais le fond de la récompense ne peut être goûté dans ce monde[3]. Oui, on peut jouir ici-bas des « fruits » résultant de la « peine[4] » qu'implique l'étude de la Torah et l'application des *mitsvot* dans notre vie quotidienne. Cependant, ces « fruits[5] » sont très éloignés du « fond réservé » ; les *tsaddiqim* (« justes ») ne voudraient

---

1. R. ÉLIYAHOU, *Adéret Eliyahou*, 434. CHELAH HAKADOCHE, *Chaar HaChamaïm* (Jérusalem, 5733), 154, 164. *Avnei Nezer*, 125. *Shem MiShemouël, Hagada*, 116. *Beit Avraham*, 141. *Sefat Emet*, III, 197, 205, 207 ; V, 14, 38, 41. R. YOSSEF YEHOUDA LEIB BLOCH (XXe s.), *Chiourei Daat* (New York, 5724), I, I, 11.

2. *Peirouche HaGra*, *Avot* IV, 2, 64. *Avot deRabbi Nathan*, 25, 4. *Tanhouma*, *Teitsei*, 1. *Kedouchat Lévi*, 70. R. YITSHAK ZEEV HALÉVI DE BRISK (XXe s.), *Hiddouchei Hariz* (Jérusalem, 5723), 16, 108. R. Y. M. HARLAP, *Peirouche al Massekhet Avot* 107, 193, 194.

3. *TB Qiddouchin* 39b et *Peirouchei Maharal miPrague al Aggadot HaShass*, I, 90. *Zohar* III, 33b.

4. R. HAYYIM DE VOLOJINE, *Biour HaGra LeSifra DiTseniouta* (Jérusalem, s.d.), *Hakdamah* ; voir aussi *Rouah Hayyim*, *Avot* VI, 1, 87. *Tanya*, *Iggéret HaKodèche*, XXIII, 136a. *Sifra* et RACHI, *Lev.* 26, 3. MAHARCHA (R. SHEMOUËL ÉLIÉZER EDELS, 1555-1631), *Sanhédrin* 99b. RACHI, *Babba metsia* 38a. Voir *TB Berakhot* 5a ; *Avodah zarah* 19a. *Avot* V, 22. *Zohar* I, 12b, 242a. *Kedouchat Lévi* 42a. *Beit Avraham*, 162. *Sefat Emet*, III, 206. *Haamek Davar*, V, 48, 49, 126. R. HARLAP, *Avot* 44, 49, 50. *Or HaTsafoun*, II, 253. RAV KOOK, *Orot HaKodèche*, I, 134, 137.

5. *Michnah Péah*, I, 1.

même pas goûter ici-bas au *keren* (« fond ») de ce qu'on peut appeler le véritable *sahar* (pleine « récompense ») qui les attend dans l'autre monde. D'ailleurs, les *tsaddiqim*, qui agissent ici-bas selon la volonté de Dieu, ne se préoccupent pas du *sahar* dans le monde à venir. Ce qu'ils veulent faire c'est seulement ce que Dieu leur demande, et se trouver ainsi dans Sa « proximité », en Sa Présence — c'est-à-dire pouvoir, par la Torah et les *mitsvot*, aimer Dieu. Il serait offensant que l'amour, l'amour pur, « dépendît[1] » d'une récompense.

Le Gaon de Vilna s'est déclaré heureux d'accomplir une mitsvah *dont la récompense ne lui reviendrait pas ; heureux d'avoir accompli ainsi une* mitsvah *uniquement parce que Dieu l'avait ordonnée*

Une fois, à l'approche de la fête de Soukkot, le Gaon était triste : il n'avait pas d'*étrog* (« cédrat ») pour célébrer cette fête selon les prescriptions de la Bible. Les efforts pour trouver un *étrog* furent vains. On n'en trouva pas dans toute la région. Un fidèle revenu d'Allemagne réussit à atteindre Vilna, la veille de la fête, muni d'un *étrog*. Il se présenta chez le Gaon et lui dit qu'il avait apporté un *étrog* ; il était disposé à le lui céder pour qu'il pût prononcer la *berakhah*, la prière appropriée, mais à condition qu'il lui assure que le *sahar*, la récompense due au Gaon, pour réciter la *berakhah*, pour accomplir la *mitsvah* des « quatre plantes », dont l'*étrog*, lui soit attribuée à lui. Le Gaon, sans hésiter un instant, lui fit la déclaration formelle qu'il cédait en sa faveur la récompense qu'il pourrait obtenir dans le monde à venir pour avoir accompli la *mitsvah* des « quatre plantes ». Il ajouta qu'il était particulièrement content de s'acquitter une fois d'une *mitsvah* dont la récompense ne lui

1. *Avot* 5, 16. *Tanna devei Eliyahou Rabba*, 28.

reviendrait pas. Il pouvait ainsi être sûr d'accomplir la *mitsvah* uniquement par amour de Dieu, par amour de Celui qui lui avait ordonné d'accomplir cette *mitsvah* [1]. D'ailleurs, le Baal Chem Tov, dans des circonstances pareilles, s'exprima ainsi : « Je n'ai besoin d'aucune récompense dans le monde à venir, mon amour pour Dieu me suffit [2] ! »

Les tsaddiqim *ne se préoccupent pas de la récompense des* mitsvot, *même si elle devait leur être donnée dans le monde à venir*

En effet, le vrai *sa<u>h</u>ar* dans le monde à venir consiste, pour reprendre l'image des sages d'Israël, à se promener dans le paradis aux côtés de Dieu, à vivre en Sa Présence immédiate, à comprendre Sa volonté qui les a déjà guidés sur terre. Pour la *avodat HaChem*, le *sa<u>h</u>ar* proprement dit n'existe donc pas dans ce monde. Ce terme *sa<u>h</u>ar* lui-même désigne une récompense totale, ultime, précise le Gaon. Car l'*avoda* qui mérite un *sa<u>h</u>ar* n'est pas une prestation *(chimouch)* ou une activité *(peoula)* dont on attend un salaire *(gemoul tachloum)* en fonction de la durée du travail [3], ou un *perass* [4] (salaire plus élevé que celui qui est

1. R. <u>H</u>AYYIM DE VOLOJINE, *Roua<u>h</u> <u>H</u>ayyim*, *Avot* I, 3, 15. RAMBAM, *Peirouche HaMichnah*, *Avot* I, 3 ; mais voir *Avot* II, 16. *Mekhilta*, *Chemot*, 13, 2. *TB Qiddouchin* 39b ; *Mena<u>h</u>ot* 44a. *Sifré*, *Eikev* ; *TB Nedarim* 62a. RACHI, *Taanit* 7a ; RACHI, *Avodah zarah* 5a. ROCH, *Nedarim* 62b. BAH (BAYIT HADACHE) DE R. YOËL SIRKIS (1561-1640), *Tour*, *Ora<u>h</u> <u>H</u>ayyim* 47. *Zohar* III, 119a. *Tiqqouné HaZohar*, *Tiqqoun* 30 (73b). *Tiqqouné HaZohar <u>h</u>adache*, 107a. *Kedouchat Lévi*, 55b. *Liqqouté Moharan*, II, 35b. *Beit Avraham*, 187. R. HARLAP, *Avot* 39.

2. Voir Psaumes 72, 25 : « Qui donc aurai-je [sans Toi] au ciel ? À côté de Toi, je ne désire rien sur terre ! »

3. Lévitique 19, 13. *TB Babba metsia* 112a. RAMBAM, *Hilkhot Sekhirout* XI, 2.

4. R. <u>H</u>AYYIM DE VOLOJINE, *Roua<u>h</u> <u>H</u>ayyim*, *Avot* I, 3, 15. Voir *TB Érouvin* 73a. *Shem MiShemouël*, *Devarim*, 94.

dû). Tout cela nous est déjà accordé ici-bas, gracieusement[1], par notre Maître qui, Lui, ne nous doit aucun salaire ; mais Il nous offre un « présent » pour que nous puissions subsister et être capables physiquement et matériellement de faire notre *avoda*, de réaliser la tâche qui est la nôtre, celle d'être des *ovdé HaChem*. Pour ce qui est du *sahar* complet, il viendra ; il nous sera accordé, si nous le méritons, dans le monde à venir, mais aussi à titre gracieux. Cependant, les *tsaddiqim*, comme nous avons dit, ne se préoccupent pas du *sahar*. Ils s'enquièrent encore moins de la récompense terrestre, qu'ils sont obligés d'accepter car elle les poursuit. Quant à eux, ils se contentent de la félicité d'« habiter la maison de Dieu[2] », d'étudier la Torah et d'accomplir ses *mitsvot* : ils n'ont besoin de rien d'autre.

Annexe

Mousar *et hassidisme : crainte de Dieu et amour de Dieu*

La *tenouat hamousar*, le « mouvement éthique », piétiste, dénommé *mousar*, a ses racines dans la conception et la pratique religieuse de Rabbi Éliyahou, et dans celles de son disciple Rabbi Hayyim de Volojine. Ces deux géants de la Torah ne faisaient qu'observer fidèlement l'enseignement biblique et postbiblique sur la priorité qu'il faut accorder, dans le « service de Dieu », au précepte de la « crainte de Dieu ». La crainte de Dieu doit inspirer tout acte religieux, en particulier l'« étude de la Torah » (voir

1. R. HAYYIM DE VOLOJINE, *Néphech HaHayyim*, II, IV, 21a. Job 35, 7. *Deut. R.* 2 ; *Lev. R.* 27 ; Nb. R. 11. RACHI, *Avodah zarah* 5a ; RAMBAM, *Deut.* 6, 20. *Zohar* III, 260b. *Kedouchat Lévi*, *Nitsavim*.
2. Psaumes 23, 6 ; 27, 4.

Psaumes 111, 10 ; *Avot* III, 9, 17). En cela, les « deux grands luminaires » de la Torah peuvent être considérés comme les précurseurs et les inspirateurs du mouvement *mousar*. En effet, le Gaon de Vilna recommande clairement la lecture quotidienne des *Sifré yeréim* (Livres des craignant-Dieu) [voir Maasé Rav, *Minhaguei HaGra*, Vilna, 5649, LX ; voir Adéret Éliyahou, *Deut.* 1, 12]. Rabbi Éliyahou lui-même nous en offre un exemple éloquent. Chaque jour, il consacre une parcelle de son temps précieux, de son temps « entièrement » voué à la Torah, à méditer les exhortations de Rabbi Moïse Hayyim Luzzatto, presque son contemporain !, dans son livre *Messilat yecharim* (Le Sentier des droits), exhortations inspirées par le précepte de la « crainte de Dieu ». Aux yeux du Gaon de Vilna, ce livre occupe une place privilégiée parmi les *Sifré yeréim*. Il en était tellement reconnaissant à son auteur que, disait-il, si celui-ci avait été encore en vie, il serait allé à pied lui rendre hommage (voir Rabbi Yitshak Blaser, *Or Yisraël* [Vilna, 5660], p. 124).

Quant au disciple du Gaon, Rabbi Hayyim de Volojine, il note dans son livre *Néphech HaHayyim (L'Âme de la vie)* que le respect du précepte de la crainte de Dieu doit précéder tout acte religieux, et particulièrement l'étude de la Torah. Celui qui s'apprête à étudier en profondeur un sujet de la Torah doit d'abord se recueillir afin de « purifier son cœur », seul avec son Créateur. Cet acte de recueillement devrait être renouvelé tout au long de l'étude de la Torah (voir IV, IV, V, VII).

Les disciples de l'école du Gaon de Vilna et de Rabbi Hayyim de Volojine adoptèrent une attitude négative à l'égard du mouvement *mousar* et critiquèrent son « intrusion » dans les *yechivot*, qui perturbait l'ordre de l'enseignement centré sur le Talmud. Ils craignaient, en effet, que les disciples du *mousar* ne fissent de l'étude des *Sifré yeréim* et de leurs pratiques contraignantes, presque ostentatoires, inspirées du précepte de la crainte de Dieu, leur principale préoccupation. Les adeptes du *mousar* risquaient ainsi de perturber l'enseignement traditionnel, faisant de ces pratiques un *ikkar*, un principe susceptible de prendre le pas sur le principe primordial de l'étude de la Torah (voir *Néphech HaHayyim*, IV, I).

Mais les adhérents du mouvement *mousar* répliquèrent que l'inquiétude des autorités rabbiniques des *yechivot* était infondée.

Le fondateur de leur mouvement, Rabbi Israël Salanter, avait en effet clairement affirmé que le *ikkar* avait l'absolue priorité sur toute autre étude, ainsi, l'étude des *Sifré mousar* (livres du *mousar*) préconisée par les *baalé hamousar* (« hommes du *mousar* ») ne peut que venir s'ajouter à l'étude de la *Gemara*, du Talmud. De plus, selon les *hakhmei hamousar* (« sages du *mousar* »), l'étude et la pratique du *mousar* développent les forces morales et les capacités intellectuelles des étudiants de la Torah, rendant leur pensée plus limpide, leurs élans plus purs, leur être plus noble et plus serein (voir R. Dov Katz, *Tenouat hamousar [le Mouvement du mousar]*, 5 vol. [Jérusalem, 5756-1996], I, p. 84-90 ; II, p. 66-67, 187-188).

Les disciples du Gaon de Vilna et de Rabbi Hayyim de Volojine ne pouvaient voir sans malaise l'influence grandissante du mouvement *mousar* sur les structures de l'enseignement dispensé dans les *yechivot*. Mais leur malaise ne venait pas de ce que les maîtres du *mousar* accordaient une importance prépondérante au respect du précepte de la crainte de Dieu et de ses corollaires pratiques dans le cadre du système d'enseignement de la Torah ; en effet, tous les croyants juifs sans exception reconnaissent la primauté de ce précepte ; en cela le *mousar* n'a rien innové. Leur malaise venait de l'attention presque exclusive accordée au respect de ce précepte et qui risquait de nuire à l'étude de la Torah proprement dite, d'amoindrir son influence décisive et pragmatique sur tous les domaines de la vie religieuse.

Ce n'est pas seulement à l'égard du *mousar* que les disciples du Gaon de Vilna et de Rabbi Hayyim de Volojine nourrissaient des inquiétudes. Ils avaient simultanément un autre sujet de crainte : le hassidisme, mouvement piétiste parallèle au *mousar* qui privilégie une vertu religieuse essentielle, complétant celle de la crainte de Dieu, la vertu de l'amour de Dieu. L'attention exclusive, dont ce précepte, certes fondamental, faisait l'objet, risquait elle aussi de nuire à l'étude de la Torah, de diminuer sa portée sur tous les domaines de la vie religieuse.

Les adeptes du *mousar* se montraient sceptiques, timorés, introvertis, tournés « vers l'intérieur » ; ceux du courant hassidique étaient d'un caractère optimiste, affectueux, ouvert aux autres, extraverti, tournés vers le monde extérieur. Pour cette raison, les autorités toraïques, maîtres de la Torah traditionnelle et de leurs étudiants dans les *yechivot*, voyaient en eux des hommes susceptibles de quitter la voie royale de la foi inconditionnelle en Dieu et de la confiance en l'homme qui croit en Dieu.

C'est surtout sur un point capital qu'il y a eu divergence entre les maîtres de la Torah et leurs élèves d'une part et les responsables du mouvement mousarique et du courant hassidique d'autre part : l'enseignement dans les *yechivot*. Les maîtres de la Torah craignaient pour l'avenir de ces institutions vitales pour la pérennité du peuple juif ; ils craignaient que leurs structures ne fussent dénaturées, que leur mode de vie ne fût déformé. Or, avec le temps, leurs appréhensions se sont révélées injustifiées.

En effet, les réalités historiques ont prouvé, et notamment après la Choah, que ce sont précisément les dirigeants du courant hassidique et du mouvement mousarique qui, en bonne harmonie et en parfaite fidélité aux millénaires traditions toraïques, ont assuré le développement, en qualité et en nombre, des *yechivot*. Ce sont elles qui, avec leurs dizaines de milliers d'étudiants, avec leurs milliers d'enseignants, constituent un facteur, je dirais même le facteur déterminant, du renouveau religieux que le peuple juif vit à présent. C'est des *yechivot* que viennent les exemples rayonnants d'étude assidue de la Torah et d'application scrupuleuse des *mitsvot* : après les épreuves, la destruction, l'anéantissement, les *yechivot* apportent un souffle nouveau.

NOTE SUR LES FÊTES JUIVES

Leur portée éthique religieuse

Le Juif est appelé à célébrer Dieu constamment en Le recherchant jour après jour en Le suivant partout [1]. Comme il n'y a pas d'endroit vide de Dieu, l'homme peut Le reconnaître n'importe où, et se laisser juger par Lui à toute heure [2]. Il devrait donc revêtir, en tout temps, des habits de fête [3], pour être digne de se montrer à lui.

Cette recherche de Dieu est précédée, inspirée et conditionnée par un arrêt de l'homme devant Dieu : le Juif s'immobilise [4] devant son Créateur trois fois par jour pour se souvenir de Lui, pour se redire que « le monde et tout ce qu'il contient est à Lui ». Pendant ce temps d'arrêt, le Juif remplit son âme de la Présence divine et place sur son corps les signes matériels de son engagement envers Dieu. C'est ainsi que le Juif se rend à son travail quotidien. Les provisions [5] de la *tefillah*, de la « prière », et les marques des

---

1. Voir Psaumes 16, 8 ; Isaïe 58, 2 ; Proverbes 3, 6 ; Deutéronome 13, 5.
2. Voir *TB Roch ha-chanah* 16a.
3. Voir Ecclésiaste 9, 8. *TB Berakhot* 4a. R. Kook, *Orot HaKodèche*, III, p. 340.
4. Voir *TB Berakhot* 60b. R. Dov Ber de Mezritch, *Magguide Devarav LeYaakov*, 8, p. 22.
5. Comme le pain est la nourriture essentielle du corps humain, ainsi la prière et l'étude de la Torah sont la nourriture essentielle de l'âme

tefillin, des phylactères, l'aident pendant quelques heures ou pendant la journée tout entière[1] à rechercher Dieu en dehors de lui, à Lui demander de guider ses actes et de protéger son être.

Une fois ces provisions épuisées, l'homme s'immobilise devant Dieu pour rafraîchir, pour nourrir à nouveau son âme. Un délai était nécessaire pour faire valoir son labeur. Restauré après une nouvelle prière, il classe sereinement les fruits de son travail.

La prière est donc un travail dans la méditation. En elle, le Juif trouve la raison de son activité passée ; en elle, il découvre le sens de son activité future.

---

humaine. La prière et l'étude de la Torah constituent le principe vital de l'être juif. La prière et l'étude de la Torah suivent et valorisent l'ordonnance du temps. Voir *TJ Berakhot* IV, 1. *TB Berakhot* 26b ; *Babba qamma* 82a. *Gen. R.* 68 ; 70. *Zohar* I, 21a, 24a, 72b ; II, 121a ; III, 29b, 98a. PHILON, *Leg.* III, 179. R. YEHOUDAH HALÉVI, *Kouzari*, III, 5. R. AHARON HALÉVI DE BARCELONE, *Séfer HaHinoukh*, *Mitsvah* 401. R. BAHYA BEN ASHER, *Kad HaKémah*, 263. R. SHEMOUËL ÉLIÉZER ÉDELS (MAHARSHA), *Berakhot* 4b. LE MAHARAL, *Netivot Olam*, I, *Netiv HaAvoda*, XVII, p. 49-51. R. MOÏSE HAYYIM LUZZATTO, *Messilat Yecharim*, I. R. ÉLIYAHOU, *Biour HaGra al Aggadot*, p. 108 ; *Liqqouté HaGra*, p. 84. R. CHNÉOUR ZALMAN DE LYADI, *Tanya*, V, p. 17-19. R. HAYYIM DE VOLOJINE, *Néphech HaHayyim*, II, 9, p. 23b. R. TSEVI ÉLIMÉLÉKH DE DINOW, *B'nei Issaskhar*, *Aggadah*, p. 31. R. ISRAËL MEÏR HACOHEN DE RADINE, *Hafets Hayyim*, *Chemirat HaLachone*, II, p. 63 ; *Peirouche al Avot*, p. 78. RAV KOOK, *Olat Reiya*, II, p. 1-2, 435. R. AVRAHAM DE SOHATCHOV, *Avnei Neizer*, p. 120. R. SHEMOUËL DE SOHATCHOV, *Shem MiShemouël*, Bemidbar, p. 45. R. ÉLIYAHOU LAPIAN, *Lev Eliyahou* (Jérusalem, 5732), p. 123-124, 199, 311.

1. La prière du matin exerce une influence bénéfique pendant toute la journée sur celui qui l'a prononcée. Voir *TJ Berakhot* IV, 1. *TB Berakhot* 32b. R. YEHOUDAH ARIÉ LEIB DE GOUR, *Sefat Emet*, V, p. 52. R. AVRAHAM MORDEKHAÏ DE GOUR, *Imrei Emet* (Jérusalem, 5738), p. 32.

Un temps devant Dieu : prière quotidienne, Sabbat hebdomadaire. Retour de l'homme vers son centre de vie. Le temps s'ouvre sur l'éternité, le profane conduit au sacré

C'est cette fonction de la prière quotidienne que la fête hebdomadaire ou périodique remplit pour une plus longue durée [1].

La fête constitue un temps d'arrêt devant Dieu ; elle demande à la personnalité humaine de rentrer en elle-même.

Le Sabbat, origine et principe [2] de toute fête juive, n'implique pas seulement une cessation du travail humain, l'affranchissement de la matière, mais aussi le retour de celle-ci, rassemblée après son éparpillement, et façonnée, vers son auteur, son propriétaire. Le Sabbat signifie surtout un retour de l'homme, du travailleur, à son Maître, auquel il a à rendre compte des résultats de la mission dont il a été chargé ; le Sabbat marque le retour de l'homme vers son centre de vie et, partant, vers le centre de Vie. (Dans l'analyse qu'il fait du verbe *chavat* le hassidisme insiste surtout sur la racine *chav*, « retourner » !) Le Juif rentre chez lui [3] pour considérer, dans le repos, non pas les détails de l'activité qu'il a déployée au cours de la semaine (cela lui est défendu, afin qu'il ne retombe pas dans la dispersion), mais pour considérer la raison qui a présidé à l'ensemble de son activité future. Après avoir transformé peu à peu, jour après jour, la matière en la raffinant, en la spiritualisant, il se

---

1. R. DOV BER DE MEZRITCH, *Magguide Devarav LeYaakov*, 8, p. 22-23 : « La prière est appelée *chabbat*, car elle doit être prononcée dans la sérénité, de sorte qu'elle puisse s'élever vers le monde du *taanoug*, vers le monde du "plaisir" [spirituel]. »

2. Voir *Sifra*, *Lev.* 23, 3. RACHI, *Chevouot* 15b. R. NAFTALI TSEVI YEHOUDAH BERLINE DE VOLOJINE, *Haamek Davar*, *Lev.* 26, 2, p. 114. R. NATHAN TSEVI FINKEL, *Or HaTsafoune*, II, p. 59.

3. Isaïe 58, 13.

demande, le jour du Sabbat, s'il l'a vraiment conduite à la sainteté, et si lui-même s'est ainsi approché de son but : la sainteté. Car dans le processus de la création du monde, unique et perpétuelle, le Sabbat a marqué et marque l'aboutissement du temps à l'éternité, du profane au sacré.

Le Sabbat ne serait pas le Chabbat biblique, mais un simple jour de repos, s'il ne contenait aucune préoccupation de sainteté. Le Sabbat devient un Chabbat juif quand il est « un jour de repos et de sainteté ».

L'homme sanctifie le Sabbat, à l'exemple de Dieu ; le sanctifie par la sainteté qu'il a vécue pendant les jours de labeur, pendant la semaine qui s'est écoulée ; la bénédiction sabbatique est nécessaire à la semaine de travail qui commence.

L'homme doit suivre, c'est-à-dire imiter Dieu dans Son œuvre de création. Or, Dieu Lui-même, « qui a fait en six jours les Cieux et la terre, la mer et tout ce qui est en eux, s'est reposé le septième jour ; c'est pourquoi l'Éternel a béni le jour de Chabbat et l'a sanctifié [1] ». S'il était uniquement destiné au repos, ce jour serait resté un simple septième jour, mais parce qu'Il l'a béni, il est devenu le jour de Chabbat qu'Il a ainsi sanctifié. Car toute Son œuvre de six jours, Dieu l'avait réalisée en vue du Chabbat ; celui-ci contenait la sainteté qui convergeait vers lui de tous les jours précédents, et Il allait la consacrer définitivement en ce jour de repos [2].

1. Exode 20, 11.

2. Dans le livre de la Genèse (2, 2-3), le récit de la création présente le Chabbat sous la forme d'un verbe signifiant la cessation du travail divin ; cette cessation est elle-même un travail. Dans ce récit Dieu ne s'adresse pas encore à l'homme. C'est seulement dans le Décalogue, où le dialogue entre Dieu et l'homme est établi, où le commandement vise directement l'homme, que le septième jour est définitivement élevé au rang de substantif, de Chabbat.

La première version du Décalogue, dans le livre de l'Exode, rappelle à l'homme que Dieu a élevé le septième jour au rang de Chabbat. La seconde version du Décalogue, dans le livre du Deutéronome, s'adressant à l'homme qui observe le Sabbat, qui imite Dieu, lui demande de sanctifier lui-même le jour du Sabbat, d'élever lui-même « le septième jour » au rang de « Chabbat [consacré] à l'Éternel, son Dieu[1] ».

L'homme sanctifie donc le Sabbat, à l'exemple de Dieu ; il ne le sacralise pas par un seul acte, par un geste magique, par une formule mystérieuse, mais le sanctifie par la sainteté même qu'il a accumulée pendant six jours de labeur, par la sainteté dont il a revêtu chaque jour de la semaine. Les « étincelles saintes » qu'il a, pendant les jours de peine, extraites, libérées de la matière brute, il les rassemble pour qu'elles forment la lumière joyeuse du Sabbat. (Le sage du Talmud, lui, a aussi ramassé tout ce qu'il a trouvé de bon pendant les jours de la semaine et l'a réservé pour le Sabbat[2] !) Les jours de la semaine n'ont pas de nom propre[3]. Ils sont disposés en fonction du Sabbat vers lequel ils se dirigent et du Sabbat dont ils se détachent. Ils se rencontrent dans le Sabbat, s'accomplissent en lui, vivent en lui. Leur point d'arrivée et leur point de départ se trouvent en lui[4].

Le Juif compte les jours de la semaine en fonction du Sabbat qu'il attend et de celui qu'il a quitté. Le Sabbat constitue la somme spirituelle, la fin des jours de la semaine, qui l'ont préparé, fait ; en même temps, il annonce les jours d'une semaine qu'il prépare virtuellement[5], et dont l'ouverture coïncide avec sa fin. Pendant une journée, les activités humaines ont été placées sous le signe des trois offices ;

---

1. Deutéronome 5, 14.
2. Voir *TB Bétsah* 16a.
3. Voir NAHMANIDE, *Exode* 12, 1.
4. R. H̲AYYIM ATTAR, *Or HaH̲ayyim*, Exode 31, 16.
5. Voir R. AVRAHAM DE SLONIM, *Beit Avraham*, p. 20.

pendant une semaine, les activités humaines s'organisent, ainsi que les groupe le *Zohar*, sous l'influence bienfaisante des « trois repas » sabbatiques, des *chaloch seoudot* : chacun d'eux alimentera deux jours de la semaine. La *berakhah* (« bénédiction ») centrée sur le jour du Sabbat et concentrée en jour de Sabbat, se déversera comme l'eau d'un réservoir, d'une *berékha* [1], sur la semaine qui suivra. (À l'instar du Sabbat, Roch ha-c̲hanah est le jour du jugement de l'activité que l'homme a déployée pendant l'année arrivée à son terme, et elle est la « tête » qui va guider l'année qui commence. Yom hakippourim est le jour du jugement d'une année écoulée, et le « cœur » qui va alimenter l'organisme de l'année qui vient de naître... Lors de *motsaei chabbat*, à l'issue du Chabbat, Rabbi Israël Salanter avait l'habitude de dire à ses proches qu'il pensait déjà au Sabbat prochain ; lors de *motsaei Roch ha-chanah*, il s'adressait à ses disciples en leur demandant de se préparer pour le *Roch ha-chanah* à venir !)

La sainteté n'est pas un état, elle est agissante. Le « repos » du Sabbat et des fêtes constitue une action positive, créative ; la menouha *(« repos ») devient une* kedoucha *(« sainteté » vivante)*

Cette *berakhah*, nécessaire à une semaine entière, justifie l'œuvre de sanctification du Sabbat. En effet, « la sanctification du jour » est un travail, constitue une œuvre. Elle est non seulement permise en jour de Sabbat, mais requise. Le chômage physique de ce jour est contrebalancé par une activité spirituelle. Car un chômage total mènerait à un déchaînement des forces instinctives, aux conséquences peut-être nuisibles. L'homme se livrerait alors à ses impulsions, dont il regretterait les méfaits, pendant les jours à

1. Voir R. Ba̲hya ben Asher, *Kad HaKémah̲*, 20-31.

venir. (Les statistiques montrent que le nombre de délits chez les non-Juifs est plus élevé pendant les jours de fête que pendant les jours ouvrables ; elles montrent qu'en jour de Sabbat, le délit de n'importe quelle nature est inconnu chez les Juifs observant les prescriptions religieuses !) C'est pourquoi le Chabbat n'est pas un jour férié. Depuis les temps les plus anciens, le Juif s'adonne en ce jour, plus intensément que pendant les autres jours, à l'étude de la Torah : c'est ainsi qu'il se recrée. (Même pour l'année sabbatique, l'année de repos de la terre, de suspension des travaux champêtres ; la Torah prescrit le *haqhel* [« rassemblement » du peuple] « afin qu'ils entendent et apprennent à craindre l'Éternel et veillent à observer les paroles de la Torah[1] » !)

C'est dans la sainteté, il est vrai, que le Juif se dirige vers la sainteté du Sabbat. Mais en ce jour même, il doit l'acquérir. Car la sainteté n'est pas un état mais une activité. L'homme n'est pas un saint par lui-même ; il est tenu de devenir saint par ses actions. Et par la sainteté qu'il réalise dans les jours du Sabbat et de fête, il sanctifie le Sabbat et les fêtes ; il sanctionne leur sainteté de principe ; il augmente, il « accomplit » leur sainteté préparée patiemment avant qu'ils arrivent ! Et c'est ainsi que le Juif, lui, les « fait[2] », les rend réels. Dieu lui commande d'observer le Sabbat et les fêtes. Il les a fixés. Mais c'est à lui, à l'homme, de les rechercher, de les déceler à l'endroit prévu par l'architecte du temps ; c'est à lui, à l'homme, de les identifier par sa *kavvanah* (« intention » pure), et de leur insuffler de la personnalité, pour les redonner à Dieu, tels qu'Il les a voulus pour leur donner leur contenu.

Le repos lui-même, du Sabbat et des jours de fête, dont le caractère est apparemment privatif, constitue une action

---

1. Deutéronome 31, 12.
2. Voir *Mekhilta*, *Exode* 31, 16.

positive[1] (le verbe *chavot*, « chômer », est affirmatif dans son expression et privatif par son caractère ; il offre l'exemple de l'action par l'inaction !). Certes, cette action est une action de sanctification. Mais c'est justement le limitatif, le défensif, le privatif du *chamor*, « observer », qui donne au jour du Sabbat sa sainteté : *chamor et yom hachabbat lekadecho*, « observe le jour de repos pour le sanctifier[2] ! ». La *menouha* (« repos ») devient une *kedoucha* (« sainteté »). Car se détendre veut dire agir sur soi-même ; s'interdire de faire quelque chose signifie remplacer ce qu'on fait habituellement, naturellement, par ce qu'on veut réaliser en compensation. Ce remplacement se fait par le libre choix, par la libre décision de l'homme. Il mène parfois à la mutation voulue d'un *lo ta'assé*, d'une « interdiction » en une action positive, dictée par une *mitsvat assé*, par un « commandement actif ». Une opération si délicate trouve parfois son expression halakhique, juridique, dans le principe talmudique *lav hanitak léassé*[3].

---

1. Le repos sabbatique n'est pas synonyme d'inaction, il constitue une action : l'action du repos ; il est une œuvre. À l'origine, le repos fut une action divine, une œuvre. « Le faire est alors un non-faire », affirme R. AVRAHAM DE SLONIM, *Beit Avraham*, p. 20. Voir R. ÉLIYAHOU, *Biourei HaGra al Aggadot*, *Liqqouté HaGra*, II, p. 71-72. MALBIM, *Gen.* 2. *Siddour HaGueonim VeHaMekkoubalim*, II, p. 73. R. YOSSEF ROSINE, *Tsafnat Paanéah*, *Séfer Bereichit*, p. 61. *Séfer Chemot*, p. 159-160. R. NATHAN TSEVI FINKEL, *Or HaTsafoune*, II, p. 145. R. AVRAHAM DE SOHATCHOV, *Avnei Neizer*, p. 46. R. YAAKOV MOCHÉ HARLAP, *Mei Meirom*, III, p. 60. Voir aussi R. HAYYIM ATTAR, *Or HaHayyim*, *Exode* 31, 16.
2. Deutéronome 5, 12.
3. Voir *TB Chabbat* 25a ; *Yoma* 36a, *Makkot* 15a-b ; *Houllin* 141a.

Agir et cesser d'agir. « Mitsva *active* », extensive, et « mitsva *défensive* », *intensive ; elles se complètent*

Pour le Juif, le *lo ta'assé*, le « commandement négatif », n'a pas une signification moins active qu'une *mitsvat assé*, qu'un « commandement positif [1] ». Au point de vue halakhique le Rambam (Maïmonide) considère, en matière de droit sabbatique et de fête, la non-observance d'un *lo ta'assé* comme une conséquence immédiate et directe de la non-observance d'une *mitsvat assé* [2]. Au contraire, le *lo ta'assé* prend, dans la bouche de son ordonnateur, une résonance plus impérative, un caractère plus sévère qu'une *mitsvat assé* ; le *lo ta'assé* exige de celui qui est appelé à le respecter une concentration spirituelle plus intense que celle nécessaire au respect d'une *mitsvat assé*. Le *zakhor* affirmatif conditionne le *chamor* défensif ; ils forment un seul commandement : *zakhor vechamor bedibbour ehad né'émrou*.

C'est le *lo ta'assé* qui détermine au fond le caractère du

---

1. Voir *TJ Qiddouchin* I, 9 ; *Sifra* et RACHI, *Lev.* 20, 26 ; *Mekhilta*, *Exode* 16, 28 ; MAÏMONIDE, *Michneh Torah*, *Hilkhot Yessodei HaTorah* V, 10.

2. En matière de droit concernant le Chabbat et les fêtes, le *lo ta'assé* (« tu ne feras pas ») découle d'une *mitsvat assé* (« ordre de faire »). Du verbe défensif *chamor* (« prends soin » de ne pas faire) dérive le *lo ta'assé* formel : *hichamer* mène à un *assé* (l'action) et celle-ci peut avoir un caractère privatif, mais sublime, de *yirah* (« crainte » révérentielle). Ainsi, *im lo tichmor laassot et col divrei hatorah* (« Si tu n'as soin d'appliquer [de "faire"] toutes les paroles de la Torah, écrites dans ce livre ; de révérer ce Nom auguste et redoutable », Deutéronome 28, 58). Aussi, *Vechamrou b'nei Israël et hachabbat, laassot et hachabbat...* (« Les enfants d'Israël observeront le Chabbat [en ne travaillant pas en ce jour], pour qu'ils fassent le Chabbat... », Exode 31, 16). Et encore : « Voici les choses que Dieu a ordonné de faire *[laassot]* : pendant six jours tu travailleras, mais au septième jour vous aurez une solennité sainte, un chômage absolu... » (Exode 35, 1-2). MALBIM précise : « L'Éternel a ordonné de faire : de ne pas faire. » Le « ne pas faire », c'est le « faire » du Chabbat !

Sabbat : « le septième jour est le Sabbat en l'honneur de l'Éternel ton Dieu, [car] tu ne feras aucune œuvre [en ce jour-là] [1]. » Le Rambam, lui, voit les fondements halakhiques du Sabbat dans le commandement affirmatif exprimé par la forme verbale *tichbot* ; mais ce verbe a un caractère expressément négatif ! Selon l'enseignement hassidique du *Habad*, la racine d'un *lo ta'assé* est plus profonde que celle d'une *mitsvat assé* ; elle est bien supérieure à celle-ci dans le monde céleste de la Torah. Les penseurs du *Habad* mystique-rationaliste de l'Europe orientale rejoignent dans cette vision des *mitsvot* leur contemporain Rabbi Samson Raphaël Hirsch, le représentant doctrinaire « éclairé » de ceux qui observent les *mitsvot* en Europe occidentale.

Les racines des *lo ta'assé* sont non seulement plus profondes que celles des *mitsvot assé*, mais encore plus nombreuses ; le nombre des commandements négatifs, trois cent soixante-cinq, dépasse de beaucoup le nombre des commandements positifs, deux cent quarante-huit [2].

La Torah est un enseignement conduisant à une activité. Il est vrai, les formes des actions diffèrent entre elles. Si par l'application d'une *mitsvat assé* le Juif inclut dans sa sphère d'opération sanctificatrice de nouveaux éléments de la nature, par l'observation d'un *lo ta'assé*, il purifie, ennoblit, rehausse la valeur de ce qu'il a déjà, et surtout de ce qu'il est déjà. Par la *mitsvat assé* l'homme s'élève sur une échelle de valeurs qu'il se propose d'acquérir ; par le *lo ta'assé*, il se préserve d'un recul éventuel, dû au péril de cette montée.

La *mitsvat assé* représente une action additionnelle extensive ; le *lo ta'assé*, une action limitative intensive. La première est de nature expansionniste collectiviste, la seconde séparatiste, personnaliste. Certes, les deux mènent

---

1. Deutéronome 5, 14.

2. *Mitsvat assé et mitsvah lo ta'assé* : « commandement de faire » et « commandement de ne pas faire » (voir l'Annexe, p. 102).

à la sainteté. Toutefois, la sainteté trouve son expression prééminente dans une action de séparation, d'éloignement. *Kedochim tihiou* !, « Soyez saints ! » dit la Torah. Et les sages de commenter : *héiou perouchim*, « Soyez séparés », distingués des autres ! Et par là devenez saints [1]. Cette action qualificative de séparation temporaire des autres, dont il reste cependant très proche, cette action d'édification intérieure, qui ne détache pas des choses extérieures, ne dispense pas l'homme d'étendre son activité matérielle, de contribuer ainsi à la construction du monde extérieur. L'*avoda*, l'« activité » qualitative du jour du Sabbat, fait un avec l'*avoda*, l'« activité » quantitative des jours ouvrables.

« La moitié pour Dieu et la moitié pour vous. » Tout acte spirituel doit partiellement se matérialiser. L'activité déployée au cours d'un jour de fête est à la fois divine et humaine

La Torah ne sépare pas le monde de l'activité matérielle du monde de l'activité spirituelle. Elle valorise le premier par le second ; elle étoffe le second par le premier. L'*avoda* de la prière journalière continue dans celle de l'occupation professionnelle journalière, et *vice versa*. Le Sabbat et les fêtes exercent leur influence sur les jours de travail [2] ; et ceux-ci sont toujours plus, dans la mesure où ils approchent de leur terme, des jours de « préparation » du Sabbat et des fêtes.

---

1. Le commandement positif de portée générale *kedochim ti'you* (« soyez saints ») se concrétise en plusieurs *lo ta'assé* : « Révérez [*tir'ou* a un caractère négatif] chacun votre mère et votre père ; observez [*tichmorou* a un caractère négatif] Mes chabbats », etc. Selon nos sages, chacun de ces deux derniers commandements engendre une série d'autres interdictions.

2. Voir R. YEHOUDAH ARIÉ LEIB DE GOUR, *Sefat Emet*, III, p. 202 ; V, p. 154, 190, 210.

Mais pour marquer l'interpénétration de ces deux mondes, apparemment différents, la Torah fait des actes matériels que le Juif doit accomplir lors des jours du Sabbat, un acte d'*avoda*, de « travail » religieux. Ainsi, le jour où l'« activité physique qui fait penser » l'homme est interdite, l'activité physique qui est agréable à l'homme y occupe une place importante ; il ne faut pas laisser d'activité spirituelle sans contrepartie matérielle. C'est pourquoi l'activité du jour solennel est composée de deux « moitiés » qui se complètent, une moitié humaine, que les sages appellent « une moitié pour vous » ; et une moitié divine, qu'ils appellent « une moitié pour Dieu [1] ». C'est par son activité matérielle même, spiritualisée, bien sûr, que le Juif célèbre le Sabbat et la fête ; c'est par une *avoda* de prière et de *divré Torah* [2], de réflexions sur la Torah, introduite dans son activité matérielle même, agréable, qu'il élève celle-ci à un degré de sainteté ; c'est donc en plein Sabbat qu'il extrait des « étincelles de sainteté » d'une matière cette fois plus fine, pour les consacrer en l'honneur de la solennité prescrite par la Loi [3].

---

1. *TB Bétsah* 15b ; *Pesahim* 68b.

2. Voir *Zohar* III, 29b, 227a. R. TSEVI ÉLIMÉLÉKH DE DINOW, *B'nei Issaskhar*, *Haggadah*, p. 31. HAFETS HAYYIM, *Chemirat HaLachone*, II, p. 63.

3. Voir *TB Pesahim* 68b. *Zohar* II, 47a. Isaïe 58, 6. R. LÉVI YITSHAK DE BERDITCHEV, *Kedouchat Lévi*, *Bo*, p. 36b. *Méchékh Hokhmah*, p. 148, 258. *Neot HaDéché*, p. 133. R. BEZALEL ZE'EV SAFRAN, *Cheeilot ouTechouvot HaRBaZ*, II, p. 81, 89. R. ÉLIYAHOU ÉLIÉZER DESSLER, *Mikhtav MeEliyahou*, I, p. 230.

Manger et boire sont des actes religieux, relevant du « service de Dieu ». Les jours de Sabbat et de fête, le croyant juif ne consomme pas sa nourriture et sa boisson, mais les conserve, les « maintient » spirituellement, en dégage la valeur morale utile pour l'avenir. « Vous mangerez devant Dieu ! »

Réalisé par un Juif qui veut en agrémenter le Sabbat ou la fête, un acte physique, qui ne représenterait pour un autre homme qu'un amusement passager ou une délectation sensuelle, ne possède pas seulement la faculté de rendre agréable le moment où il se produit, mais aussi celle d'influencer l'avenir [1]. Ce sont, par exemple, les *chaloch seoudot*, les « trois repas » sabbatiques qui, suivant la croyance du *Zohar*, rayonnent sur les autres jours de la semaine, répandant leur force spirituelle trois fois deux jours dont se compose la semaine ouvrable. Car le Juif qui observe réellement le Chabbat, qui est un véritable *chomèr chabbat kadat*, ne « prend » pas seulement ses repas en ce jour, mais, selon la parole du Talmud, « maintient » ces trois *seoudot*, ces trois repas. Les sages, qui ont l'habitude de dire d'un homme qui se restaure, même en vue d'une *mitsvah*, *kol haokhel vechoté*, « celui qui mange et boit... », s'exclament à propos du Juif qui prend ses trois repas sabbatiques : *kol hamekayem chaloch seoudot bechabbat...*, « celui qui maintient trois *seoudot* sabbatiques est protégé des calamités [2]... » ! Ils utilisent le verbe *mekayem*, dont ils font usage pour désigner des actions morales, spirituelles, de la plus haute importance et qui comprennent les plus

1. Voir *Zohar* II, 63. *Biour HaGra sur Sifra DiTseniouta*, p. 78. *Haggadat HaGueonim VeHaMekkoubalim*, p. 210. R. Yossef Dov HaLévi, *Beit HaLévi* (Varsovie, 5644), *Chemot*, p. 51. *Avnei Neizer*, p. 120. *Shem MiShemouël*, *Bereichit*, II, p. 51. *Sefat Emet*, V, p. 154, 210.

2. Voir *TB Chabbat* 118a. Voir *Zohar* III, 273a.

grandes responsabilités. Ce Juif qui *mekayem chaloch seoudot* fait durer ce qui, par sa nature même, est éphémère, et préserve ce qui, par sa nature même, est périssable. Il ne consomme pas sa nourriture et sa boisson, mais les conserve spirituellement, les rend moralement utiles pour l'avenir. Il se régale, certes, pendant ces trois repas, il se rassasie ; mais il s'en réjouit car il « honore » ainsi le Sabbat qu'il traite et ressent réellement comme une personne, auquel il accorde un statut de personne. Il s'efforce de l'embellir, parce qu'il le salue comme messager de paix, de Dieu. En l'honorant, il honore Dieu qu'il représente ; car il est venu le chercher pour le transposer sur ses ailes d'ange dans l'immédiateté de Dieu...

L'amour et la joie. Les jours du Sabbat et les jours de fête ont une fonction éthique. « Vous vous réjouirez devant Dieu ! » Le judaïsme est une religion de la joie, non du plaisir. Il enseigne à faire de son plaisir fragile momentané une joie permanente, qui se renouvelle ; à spiritualiser ses états d'âme : « Et tu aimeras... »

C'est dans ce sens qu'il faut comprendre la recommandation des Sages d'« honorer le Sabbat et les fêtes par la nourriture et la boisson ». Ces « dons », le Sabbat et les fêtes, que Dieu a faits à l'homme, ont besoin de l'ornement humain pour retourner embellis vers leur auteur. L'homme les « honore » par une action agréable à ses sens ; mais le plaisir qu'il en retire, il s'efforce de le spiritualiser afin de le ramener, purifié, à sa source spirituelle [1]. Cette action humaine répond ainsi à une *mitsvah* ; elle est réalisée par l'homme devant Dieu, elle est à la fois matérielle et sublime, elle permet à l'homme de se réjouir devant Dieu, et cela n'est pas facile : il est plus aisé, disait un Rabbi hassidique,

1. Voir *Sefat Emet*, IV, p. 51.

s'inspirant peut-être d'une réflexion semblable de Rabbi Yehoudah HaLévi, de jeûner en l'honneur de Dieu le jour de Kippourim, que de manger en l'honneur de Dieu à Pourim [1] !

En effet, pour se réjouir devant Dieu en ce jour de fête, l'Israélite doit faire un effort intérieur plus soutenu que celui qui lui est imposé pour exécuter, consciencieusement et dans la crainte de Dieu, n'importe quel travail matériel un jour ouvrable. Et surtout transformer « la moitié humaine », matérielle, « égoïste » du *hetsio lahem* de la fête, en l'autre « moitié divine », spirituelle, altruiste du *hetsio laHaChem*, ainsi que le prêchent les kabbalistes. Le Juif se soumet à une épreuve plus dure que celle que lui demande un acte de réflexion, de méditation. Pour arriver à une telle sérénité désintéressée, il doit passer par un processus d'intériorisation très exigeant.

Le judaïsme est une religion de la joie, non du plaisir éphémère, non de la volupté exubérante. Elle est une religion de la joie qui dure [2] ; mais pour durer elle doit avoir une source et un but constants en eux-mêmes. Cette joie réside

---

1. Voir *Kouzari*, II, 50 ; voir MAÏMONIDE, *Guide des égarés*, I, 54. Voir *TB Taanit* 11a. Voir *Tanhouma*, *Bereichit* 3. *Shem MiShemouël*, *Moadim*, p. 99. Voir *Tiqqouné HaZohar* 57a. Voir aussi *Gen. R.* 38, 9. Même pendant les fêtes « redoutables », Roch ha-chanah et Yom Kippour, le Juif n'est pas dispensé de l'obligation de prendre les repas devant Dieu (Néhémie 8, 12). La veille du jour de Kippour, jour de jeûne, l'Israélite a le devoir de manger suffisamment. Car manger, et savoir comment, pourquoi, avec qui et devant qui manger, constitue un acte religieux d'*avodah* (« service ») de Dieu. R. ISRAËL BAAL CHEM TOV, le père du hassidisme, disait à ses fidèles : « J'estime votre service de Dieu à ce que vous mangez et à la manière dont vous mangez... » (voir RAMBAM, *Michneh Torah*, *Hilkhot Yom Tov* XV. R. HAYYIM YOSSEF DAVID AZOULAÏ (HYDA, 1724-1806), *Ad Pesahim* 68b. *Tiqqouné HaZohar* 21 (57b) établit une comparaison entre Pourim et Yom HaKippourim : à Pourim on mange au service de Dieu ; à Yom HaKippourim on jeûne au service de Dieu.

2. Voir *TB Chabbat* 30b. *Zohar* I, 180b.

donc en Dieu[1], mais elle traverse l'homme et l'anime dans sa condition matérielle.

Le judaïsme appelle l'homme à la joie, c'est-à-dire à la maîtrise, au contrôle et donc à la modération de ses plaisirs. Ils ne lui sont point interdits, mais il doit les dominer. Et pour répondre à cette exigence de la joie, plus dure que beaucoup d'autres, l'homme doit se souvenir que même pendant les instants où il pourrait se croire affranchi de certaines obligations imposées par une société conventionnelle, il se trouve sous le regard de ses semblables et surtout sous le regard de Dieu[2]. C'est ainsi que la Torah ordonne à l'Israélite — chose apparemment étrange — de se réjouir pendant les fêtes devant Dieu[3]. Elle lui demande de faire de son plaisir fragile, momentané, une joie permanente. Ce commandement contient, comme toute *mitsvah*, une licence et une restriction (un *hétèr* et un *issour*) : elle implique une « sanctification » de l'homme « par ce qui lui est permis[4] ».

En ordonnant à l'Israélite de se réjouir devant l'Éternel les jours de fête, par une intense concentration intérieure, la Torah n'empiète pas sur le libre exercice des fonctions de l'âme humaine ; au contraire, elle le stimule, sachant que l'homme est capable d'accomplir un tel commandement.

En effet, la Torah sait intervenir dans la vie psychique de l'homme, sans porter pour autant atteinte à son autonomie. Elle lui avait déjà ordonné d'aimer Dieu tous les jours ! Il semble étrange d'ordonner l'amour. Toutefois, en intervenant délibérément dans l'exercice de ses fonctions psychiques, la Torah n'usurpe pas le droit de l'homme de choisir les objets de son affection et d'établir lui-même le degré de

1. Voir Deutéronome 12, 18 ; Psaumes 104, 34 ; etc.
2. *Avot* II, 1.
3. Voir Deutéronome 12, 7.18 ; 14, 26 ; 16, 11 ; 27, 7 ; voir Ézéchiel 41, 22.
4. *TB Yevamot* 20a ; *Sifré*, *Deut.* 14, 21.

son attachement. En lui ordonnant de se réjouir devant Dieu, la Torah ne cherche pas non plus à provoquer artificiellement un sentiment d'allégresse dont il n'aurait pas envie ou qui ne lui conviendrait pas. Mais elle lui révèle la faculté qu'il a d'élever ses affections vers un degré éthique, et de spiritualiser ses états d'âme. L'homme peut développer cette faculté par un comportement conforme à l'éthique.

Il semble étrange, avons-nous dit, que la Torah commande : « Tu aimeras l'Éternel ton Dieu. » Peut-on ordonner à quelqu'un d'aimer autrui, surtout quelqu'un qu'on ne connaît pas, qu'on ne voit pas ? Et peut-il être sûr que son amour ne restera pas sans réponse [1] ?

Pourtant, en ordonnant : « Tu aimeras l'Éternel ton Dieu », la Torah ne dit pas : *te'éhav*, « tu aimeras », de manière précise, catégorique, mais *ve'ahavta*, « *et* tu aimeras... », ce qui signifie : tu es capable « d'aimer l'Éternel ton Dieu de tout ton cœur et de toute ton âme et de tout ton pouvoir » ! En effet, tu peux parvenir à un amour de Dieu librement conçu et pleinement réalisé, après t'être préparé par le *Chema Iisraël*, par ton « acceptation du joug du Royaume des Cieux », par ton acceptation de la souveraineté de Dieu, qui est Un, par ton consentement à te soumettre à Lui, toi qui es partie intégrante d'Israël que tu viens d'interpeller et duquel tu te déclares solidaire dans l'exécution des *mitsvot* [2]. Le *ve'ahavta* est précédé, directement et immédiatement, par le *Chema* (« Écoute, Israël, l'Éternel est notre Dieu, l'Éternel est Un »). Pour le Juif croyant, le *Chema* n'a pas seulement la signification d'une vérité énoncée, mais la portée d'une vérité vécue. Il aime Dieu en union de pensée et en communauté d'action avec ses frères, faits à Son image, qu'il connaît, qu'il voit, qu'il aime. Il se donne à eux, sans condition, sans préjugé ; il agit en leur faveur, et

1. Voir *TB Berakhot* 13a ; *Yoma* 86a. Deutéronome 6, 4.
2. Voir *TB Chavouot* 39a.

c'est ainsi, en les aimant, qu'il aime Dieu. N'est-ce pas Lui qui ordonne aussi à l'homme d'« aimer son prochain », car, dit-il : « Moi, je suis l'Éternel », votre Dieu, qui témoigne à chaque instant, à chacun d'entre vous, Mon amour inconditionnel[1] ?

Il semble encore plus étrange que la Torah commande à l'Israélite : « Tu seras seulement joyeux » pendant la fête de Soukkot, la fête des Cabanes ! Peut-on imposer la joie, et exclusivement la joie, pendant un laps de temps déterminé ?

Pourtant en ordonnant à l'Israélite cette joie exclusive, la Torah ne dit pas *tihié akh saméah*, « tu seras seulement joyeux ». Elle dit : *veha'ita akh saméah*, « *et* tu seras seulement joyeux » après « t'être réjoui en célébrant la fête, toi, ton fils, ta fille, ton serviteur et ta servante et le lévite, l'étranger, l'orphelin et la veuve qui seront dans tes portes. Pendant sept jours, tu célébreras la fête en l'honneur de l'Éternel ton Dieu, au lieu que l'Éternel aura choisi ; car l'Éternel ton Dieu te bénira dans toute la récolte et dans tout l'ouvrage de tes mains : *et* tu seras seulement joyeux ! ». En effet, en célébrant ainsi les sept jours de Soukkot, la Torah assure à l'Israélite la capacité de demeurer tout entier dans la joie[2]. *Et* il est entendu, lui dit-elle, que tu seras seulement joyeux, en aimant seulement Dieu, en aimant en Lui tout ce qui est digne de Son amour et donc du tien, en élevant ton amour pour des êtres librement choisis, jusqu'à l'amour de Dieu : en te consacrant à Lui !

---

1. Lévitique 19, 18.

2. « Et tu n'auras que joie » (RACHI, *Deut.* 16, 15). D'après le sens littéral, ce n'est pas un ordre, mais une promesse. Voir R. SCHLOMO BEN AVRAHAM ADRET, *Cheeilot ouTechouvot RaShBA*, 413.

« La joie de la mitsvah *» : la joie que ressent le Juif après avoir accompli une* mitsvah *dans l'allégresse, dans sa plénitude ; elle est aussi la joie que la* mitsvah *lui procure lorsqu'il l'accomplit dans sa profondeur*

Le commandement divin coïncide ainsi, se confond même, avec le corollaire d'une libre action humaine, elle est *Selbstverständlichkeit* : cela va de soi.

La joie devant Dieu « représente le degré le plus haut auquel l'homme peut aspirer après avoir accompli une *mitsvah* [1] » ! Elle apparaît dans toute sa clarté les jours du Sabbat et les jours de fête. C'est en ces jours que l'amour de Dieu, qui gratifie Israël, Son élu, des « dons » de ces solennités, rejoint l'amour d'Israël, qui loue et remercie Dieu de l'avoir choisi et comblé.

La joie devant Dieu, le jour du Sabbat ou les jours de fête, n'est pas un état de béatitude et ne suppose point que l'homme se détache de sa condition matérielle. L'Écriture sainte la présente comme le commencement d'un acte humain qu'elle désigne par les mots : « Vous mangerez devant l'Éternel votre Dieu [2]. »

« Manger devant l'Éternel » veut dire que l'Israélite peut se réjouir, avec sa famille, de l'abondance et de la qualité de la nourriture de fête, mais surtout qu'il doit s'en réjouir avec l'indigent [3]. « Manger devant Dieu », selon la Torah, veut dire que l'Israélite peut se réjouir de « toutes les choses auxquelles il aura mis la main et dans lesquelles l'Éternel son Dieu l'aura béni ». Il mange les fruits de son propre labeur que Dieu, qu'il reconnaît comme Maître de son être et de

---

1. Voir *TB Chabbat* 30b.
2. Deutéronome 12, 7.18 ; 14, 26 ; 27, 7. Voir *TJ Hagigah* I, 2. *TB Berakhot* 64a ; *Taanit* 26a ; *Chabbat* 117b-118a. *Zohar* I, 48b, 142b ; II, 88a, 92a, 204b. *Tiqqouné HaZohar* 48 (85b). RAMBAM, *Michneh Torah, Hilkhot Chabbat* VII ; *Hilkhot Yom Tov* VI, 18-20. R. ÉLIYAHOU, *Adéret Eliyahou*, p. 46.
3. Voir RAMBAM, *Michneh Torah, Hilkhot Yom Tov* VI, 18.

son avoir, a béni ; c'est ainsi qu'il Lui offre des « sacrifices » de prospérité. Son Dieu ne s'est pas sacrifié pour lui, mais a béni le travail de ses mains et se réjouit avec lui ; l'homme ne consomme pas la substance de son Dieu, son corps, il ne mange pas sa chair, ne boit pas son sang. L'Israélite mange devant l'Éternel son Dieu ; il accomplit ainsi un acte simple, humain, naturel, dans la pleine conscience de son appartenance à Dieu et de sa dépendance envers Lui. L'Israélite accomplit cet acte devant Dieu. Il ne devient pas un avec Lui, il ne se confond pas avec Lui, mais demeure à distance, à la fois en face de Lui et près de Lui. Et Dieu le « voit [1] »...

« Les pèlerinages »

C'est cet esprit qui régit les fêtes, et surtout celles de pèlerinage. La joie de l'homme satisfait de ses récoltes s'identifie à la joie de Dieu qui les lui a données. Car la volonté de l'homme, qui sait comment utiliser ces récoltes, s'est identifiée dans l'amour du prochain à la volonté de Dieu qui les a conditionnées...

L'*avoda* du Sabbat ou des jours de fête atteint ainsi son apogée : elle se transforme en une *simha chel mitsvah*, en une « joie occasionnée par le plein accomplissement d'une *mitsvah* [2] ».

L'expression *simha chel mitsvah* désigne généralement un acte agréable qui engage toutes les fonctions de l'être humain, en commençant par les fonctions d'ordre corporel, matériel. Dans le processus de sa réalisation, toutes les composantes de l'être humain, physique, psychique, morale

---

1. Moïse et ses compagnons parvinrent, « en mangeant et en buvant », non seulement à être vus de Dieu, mais « à voir Dieu » (voir Exode 24, 11).

2. *TB Chabbat* 30b.

et spirituelle sont sanctifiées, l'une après l'autre et toutes à la fois, pour être présentées, unies, devant Dieu. Cet homme un est à la fois un être personnel et social. Son *avoda* des jours du Sabbat et des jours de fête saisit les profondeurs de son âme : *vayinafach*, « il s'intériorise[1] », fortifie sa personnalité, et se donne généreusement au *mikra kodèch*, à la « convocation sainte[2] », à la communauté à laquelle, lui, l'Israélite appartient pleinement.

Le calendrier juif est établi selon l'ordre des visites échangées entre l'homme et Dieu. Les jours de labeur, Dieu descend vers l'homme ; les jours du Sabbat et les jours de fête, l'homme monte vers Dieu

Les jours ouvrables, l'homme invite Dieu pour Lui présenter son activité, dans tous les domaines et la soumettre à Son contrôle ; Dieu répond à l'invitation de l'homme, descend de Ses hauteurs, « marche au milieu de son camp[3] » et installe « Sa demeure en bas[4] », dans ce monde : le Créateur est l'hôte de Sa créature !

Les jours du Sabbat et les jours de fête, l'homme est invité par Dieu « pour se faire voir » à Lui, pour Lui présenter les résultats de son labeur, dans leur plénitude ; l'homme répond à l'invitation de Dieu, fait le pèlerinage à Jérusalem, vient dans Son temple, monte vers les hauteurs divines[5], « habite dans le sanctuaire de l'Éternel », et éprouve ainsi l'avant-goût de la félicité, pressent le monde à venir : la créature est l'hôte de son Créateur[6] !

---

1. Exode 31, 17 ; voir *Or HaHayyim*, *ad loc.*
2. Lévitique 23, 3.
3. Voir Deutéronome 23, 15.
4. *Tanhouma*, *BeHoukotaï* 3.
5. Voir Deutéronome 16.
6. Voir *TJ Hagigah* I, 1. *TB Megillah* 26a. Voir *TB Bétsah* 16a. *Sefat Emet*, V, p. 68.

Mais il arrive que le Créateur prenne tellement plaisir à la visite de Sa créature, qu'Il éprouve de la peine à Se séparer d'elle ; alors Il la retient dans Ses palais : la fête est prolongée d'un jour [1]. Mais après ce délai, la redescente de la créature dans le monde inférieur devient inévitable, car elle ne doit pas retarder ses préparatifs en vue d'une nouvelle montée vers le monde supérieur...

Et il arrive aussi que l'homme, éprouvant, en période de fête, la proximité de Dieu, ne veuille plus redescendre dans son monde de tous les jours et ne demande qu'une seule chose à l'Éternel : « habiter dans la maison de l'Éternel tous les jours de sa vie, pour contempler la beauté de l'Éternel, et pour visiter Son palais. Car Il l'abritera sous Sa tente au mauvais jour, Il le cachera dans le lieu secret de Son tabernacle, Il l'élèvera comme sur un rocher [2]... ». Mais il lui faut retourner dans son monde pour affronter, activement, vaillamment, toutes les adversités, les vaincre et mériter ainsi à nouveau une montée vers le tabernacle de Dieu, un séjour paisible et sûr dans Sa résidence. Les jours du calendrier juif rythment cette alternance entre la descente de l'homme vers la terre et sa montée vers Dieu.

Annexe

Mitsvat assé *et* mitsvah lo ta 'assé : *voir page 90, note 2*

En appliquant une *mitsvat assé* (« commandement actif »), le Juif témoigne de son amour de Dieu ; en observant une *mitsvah lo ta'assé* (« commandement défensif »), le Juif témoigne sa

1. Voir *Nb. R.* 21, 22.
2. Psaumes 27, 4-5.

crainte de Dieu. C'est ainsi que les *Tiqqouné HaZohar* et Ramban caractérisent l'obligation d'agir et l'interdiction d'agir qui incombent à un Juif respectueux des préceptes de la Torah. Cela donc sur le plan humain. Sur le plan divin, la *mitsvat assé* témoigne du *hesed* (« grâce » de Dieu à l'égard de l'homme), de Sa bonté, de Son désir d'offrir un *sakhar* (« récompense ») à celui qui accomplit avec amour Sa volonté ; la *mitsvah lo ta'assé*, elle, témoigne de la *gevourah* (« rigueur ») de Dieu envers l'homme, de Son désir que Sa créature, grâce à Son amour pour elle, ne transgresse pas Sa volonté, cela pour son propre bien que Lui, le Créateur, est le seul à connaître dans sa vérité. En appliquant une *mitsvat assé* dans l'amour de Dieu, l'homme répond ainsi directement à l'amour de Dieu pour l'homme : il L'imite, et devient un *tsaddiq* (« juste »), assure le Gaon de Vilna ; de plus, il sent la proximité de Dieu, affirme le Maharal, et même, il parvient à la *devéqout* (« attachement ») à Dieu, déclare Rabbeinou Bahya ibn Pakouda. En observant une *mitsvah lo ta'assé*, dans la crainte de Dieu, l'homme répond ainsi, indirectement, à l'amour de Dieu pour l'homme, un « amour qu'Il cache dans Sa rigueur » ; dans la seule crainte, l'homme n'est pas à même d'« imiter Dieu », comme il lui est recommandé de le faire dans des comportements d'ordre éthique, car chez Dieu il n'y a pas de crainte ! Toutefois, en observant une *mitsvah lo ta'assé*, l'homme prévient sa « séparation » d'avec Dieu, son éloignement de Dieu, prévient le risque de devenir ce que le Gaon de Vilna appelle un *racha* (« méchant ») ; il laisse ouverte la voie, le rapprochant, peu à peu, de Dieu, jusqu'à son « retour » intime vers Lui.

Dans ses Psaumes, le roi David a résumé, en quatre mots, la portée, mais aussi la relation entre *mitsvat assé* et *mitsvah lo ta'assé* : *Sour meira va'assé tov.* (« Éloigne-toi du mal et fais le bien ! ») « Éloigne-toi du mal, pour être de plus en plus capable de mieux faire le bien ! » ajoute le Maharal. La valeur dynamique, qui résulte d'une *mitsvat assé* accomplie dans l'amour de Dieu, est généralement supérieure à la valeur qui résulte d'une *mitsvah lo ta'assé* observée dans la crainte de Dieu et dans un respect apparemment passif. Cependant, dans l'optique de Rabbeinou Bahya ibn Pakouda, l'obéissance au « commandement de ne pas faire » constitue déjà, par elle-même, un acte susceptible de se référer à un « commandement de faire ». En vérité, le commandement affirmatif : *Veyareita meElokéha* (« tu craindras ton Dieu ») est une *mitsvat assé* !

Ajoutons encore que Ben Ich Haï considère la *mitsvah lo ta'assé* supérieure à la *mitsvat assé* de par la durée de son observance : tandis que la *mitsvat assé* est accomplie à certains moments, généralement bien précis, la *mitsvah lo ta'assé* exige de la part du Juif, craignant Dieu, une acceptation permanente de la volonté de Dieu, une attention constante, pour ne pas transgresser, une « application » continue...

En effet, l'accomplissement de la *mitsvah lo ta'assé*, malgré son caractère apparemment passif, constitue un acte, et un acte lié à une épreuve. Nos sages l'apprécient à sa juste valeur. Ils enseignent : « Si quelqu'un est assis », et que se présente à lui la possibilité de transgresser une *mitsvah lo ta'assé*, de commettre une *avérah* (« péché ») et qu'il ne le « fait » pas, il peut se considérer comme ayant « fait » une grande *mitsvah* ; il mérite même, observe Rachi, de recevoir le *sakhar* (récompense à l'accomplissement d'une *mitsvah*), une rétribution qui est ordinairement attribuée à celui qui accomplit une *mitsvat assé*.

À dire vrai, grand est le mérite de celui qui ne succombe pas à la tentation et lui résiste avec courage uniquement pour ne pas enfreindre l'interdiction que représente une *mitsvah lo ta'assé*. Dans ce cas il agit « en maîtrisant avec force ses impulsions », il exerce une action sur lui-même tout en « souffrant », précise R. Hayyim Vital. En vérité, nos sages nous apprennent : « Celui-là est fort qui sait vaincre ses passions. » Certes, celui qui se trouve placé devant le dilemme : obéir à la *mitsvah lo ta'assé* ou la transgresser, doit agir avec un zèle et une célérité parfois plus grands que ceux qu'exige l'accomplissement d'une *mitsvat assé*. C'est pourquoi le Baal HaTanya soutient que, dans l'ontologie mystique de la *halakhah*, la « racine d'une *mitsvah lo ta'assé* est plus profonde que celle d'une *mitsvat assé* ». Cela explique le principe halakhique qui autorise les sages, si nécessaire, à suspendre l'application d'une *mitsvat assé* mais qui ne leur permet pas la suspension d'une *mitsvah lo ta'assé*. La désobéissance à une *mitsvah lo ta'assé* est donc plus grave *(hamoura)* que la désobéissance à une *mitsvat assé*. L'importance particulière des *mitsvot lo ta'assé* est également illustrée par le fait que leur nombre est plus grand que celui des *mitsvot assé* ; le rapport est de 365 à 248.

Toutefois, *mitsvot assé* et *mitsvot lo ta'assé* forment un tout homogène. En effet, le Chelah HaKadoche nous apprend que toutes les *mitsvot assé* peuvent contenir des *mitsvot lo ta'assé* et que toutes les *mitsvot lo ta'assé* peuvent contenir des *mitsvot assé*. Le Hizkouni et les maîtres du hassidisme soutiennent que chaque *mitsvat assé* implique nécessairement une *mitsvah lo ta'assé* et que chaque *mitsvah lo ta'assé* implique nécessairement une *mitsvat assé*. Quant au kabbaliste R. Éléazar de Worms, il affirme que chaque *mitsvat assé* renferme le *sod* (« secret ») d'une *mitsvah lo ta'assé* et *vice versa*. Toutes ces idées ont jadis été formulées d'une manière classique par les maîtres du Talmud en ces termes : *Zakhor vechamor bedibbour éhad néémrou*. Les mots *zakhor* (« souviens-toi » [du jour du Chabbat pour le sanctifier, Exode 20, 8]) et *chamor* (« observe » [le jour du Chabbat pour le sanctifier, Deutéronome 5, 12]) ont été prononcés (sur le Sinaï) en une seule parole. Ce qui signifie que *zakhor*, quintessence des *mitsvot assé* appliquées dans l'amour de Dieu, et *chamor*, quintessence des *mitsvot lo ta'assé* observées dans la crainte de Dieu, constituent une unité parfaite.

Mitsvat assé et *mitsvah lo ta'assé*. Amour et crainte. Voir *Tiqqouné HaZohar* 5a ; 10 (25b) ; 21 (51a). RAMBAN, *Exode* 20, 8 ; RECANATI, *Yitro* ; RABBEINOU YONA, *Avot*, p. 15, 90. LE MAHARAL, *Netivot Olam*, I, *Netiv HaAvoda*, 15 ; *Tiféret Israël*, 20. R. ÉLIYAHOU, *Biour HaGra*, *Michlei* 1, 7. R. HAYYIM DE VOLOJINE, *Néphech HaHayyim*, 4, 29, p. 48a ; *Rouah Hayyim*, *Avot*, p. 43-44. R. AVRAHAM DE SLONIM, *Beit Avraham*, p. 146. R. AVRAHAM DE SOHATCHOV, *Néot HaDéché*, p. 57. R. SHEMOUËL DE SOHATCHOV, *Shem MiShemouël*, *Bereichit* II, p. 355. R. MEÏR SIMHA COHEN DE DVINSK, *Méchékh Hokhmah*, p. 51, 69. R. YAAKOV MOCHÉ HARLAP, *Mei Meirom*, VII, p. 314. R. BEZALEL ZE'EV SAFRAN, *Cheeilot ouTechouvot HaRBaZ*, III, p. 39.

« Éloigne-toi du mal et fais le bien » (Psaumes 34, 15 ; 37, 27). Voir LE MAHARAL, *Tiféret Israël*, 33-34. Voir *TB Yoma* 13a.

Supériorité de la *mitsvat assé* par rapport à la *mitsvah lo ta'assé*. Voir *TB Roch ha-chanah* 32b ; *Yevamot* 3b et 7a. *Séfer HaBahir*, 182. RAMBAN, *Exode* 20, 8. RECANATI, *Yitro* et *Keddochim*. R. HIZKIYAHOU BEN R. MANOAH (HIZKOUNI), *Michpatim*.

R. Hayyim de Volojine, *Néphech HaHayyim*, 4, 29. R. Shemouël de Sohatchov, *Bemidbar*, p. 67. Voir aussi R. Menahem Nahoum de Tchernobyl, *Meor Einaïm* (Lublin, 5688), *Chemot*.

Équivalence : *mitsvat assé* et *mitsvah lo ta'assé*. Valeur de la *mitsvat assé* et mérite de la *mitsvah lo ta'assé*. Voir *TJ Qiddouchin* I, 9. *TB Qiddouchin* 39b et Rachi, *ad loc. TB Makkot* 23b. *Sifré*, *Teitsei*, 25, 3. *Cant. R.* 4, 5. *Tanna devei Eliyahou R.* 14. *Choheir Tov* 1. Rabbeinou Bahya ibn Pakouda, *Hovot HaLevavot*, 10, 7. Rabbeinou Yona de Gérone, *Chaarei Techouva*, 3, 9. R. Yechayahou HaLévi Horowitz, *CheLaH*, I, p. 26a-27a. *Peirouchei Maharal LeAggadot HaChass*, I, *Qiddouchin* 39, p. 92. Le Maharal, *Dèrekh Hayyim*, *Avot* 2, 1. *Biour HaGra*, *Michlei*, 21, 15. HaGra, *Chenot Eliyahou*, *Liqqoutim*, *Chas*, *Zeraïm*. R. Hayyim Attar, *Qedochim* 19, 1 ; *Behoukotai* 26, 3. R. Shemouël de Sohatchov, *Shem MiShemouël*, *Bemidbar*, p. 43-44 et *Haggadah*, p. 8, 59, 67. R. Naftali Tsevi Yehoudah Berline de Volojine (Natsiv), *Haamek Davar*, *Devarim*, *Hossafot*, p. 18. R. Yossef Hayyim de Bagdad (Ben Ich Hai), *Heilek HaDerouch*, p. 34.

Rigueur des *mitsvot lo ta'assé*. Leur « racine » est plus profonde que celle des *mitsvot assé*. Voir Ba'al HaTanya, *Torah Or*, p. 52b ; *Liqqouté Torah*, *Pekoudei*. R. Shemouël Shmelke Horowitz de Nikolsbourg, *Divrei Shemouël*, p. 135. R. Avraham de Sohatchov, *Néot HaDéché*, p. 57. *Kitvei* Ramban, I, *Qohélet*, p. 203. Le Maharal, *Tiféret Israël*, 20 ; *Netivot Olam*, I, *Netiv HaAvoda*, 15.

Le nombre des *mitsvot lo ta'assé* est supérieur à celui des *mitsvot assé*. Voir *TB Makkot* 23a et MaHarShA, *ad loc.* R. Avraham de Slonim, *Beit Avraham*, p. 132. R. Meïr Simha Cohen de Dvinsk, *Méchékh Hokhmah*, *Devarim*.

Les *mitsvot assé* incluent des *mitsvot lo ta'assé* et *vice versa*. Voir Chelah HaKadoch, I, p. 26a-26b-27a, 78b. Hizkouni, *Michpatim*. R. Éléazar de Worms, *Al HaTorah*, *Yitro*. Voir *TB Sanhédrin* 63a ; *Chevouot* 21a.

Zakhor vechamor bedibbour éhad néémrou. Voir *TJ Nedarim* III, 2 ; *Mekhilta Yitro*, 20, 18. *TB Berakhot* 20b ; *Roch ha-chanah* 27a. *Zohar* I, 27a, 48a, 199b ; II, 92b, 138a ; III, 180b, 224a. *Tiqqouné HaZohar* 6 (23b), 21 (59a), 55 (88b). *Séfer HaBahir*, 180 (182).

RÉFLEXIONS JUIVES SUR LE MIRACLE

Sa finalité éthique religieuse « Direction naturelle » et « direction miraculeuse » de l'histoire À propos de Hanoukkah et de Pessah

Le miracle préside au déroulement de l'histoire d'Israël ! Telle est l'explication que les théoriciens authentiques de l'histoire juive, depuis Rabbi Yehoudah HaLévi et Maïmonide jusqu'à Malbim (1809-1879) et à Rav Kouk (1865-1935), donnent du phénomène extraordinaire que constitue la vie du peuple juif. Toutefois, ce n'est pas tellement pour susciter l'étonnement devant l'unicité d'Israël, et moins encore pour échapper à l'obligation de chercher à pénétrer la singularité juive, que les scrutateurs de notre histoire invoquent le miracle. Bien au contraire, ce motif les incite à examiner les caractéristiques de notre vie en tant que peuple ; et ils en dégagent une véritable philosophie de l'histoire qui conduit directement à des conclusions d'ordre moral, et même à un engagement. Leurs assertions se fondent sur le principe de *hanhaga nissyyit* (« direction miraculeuse » de l'histoire), qu'ils opposent au principe de *hanhaga tivi'it* (« direction naturelle » de l'histoire) [1].

La direction miraculeuse est propre à l'histoire d'Israël ; la direction naturelle est celle des « nations du monde ». Mais la direction miraculeuse n'implique ni mystères obscurs ni forces magiques ; ses raisons ne sont pas insaisissables.

Les penseurs chrétiens reconnaissent le « miracle d'Israël », mais ils l'intègrent au mystère présidant à leur conception religieuse

Certains philosophes non juifs de l'histoire admettent eux aussi l'unicité d'Israël ; car ils constatent que son histoire ne s'intègre pas dans le système logique, « naturel », qu'ils ont édifié pour rendre compte de l'histoire des peuples.

Les penseurs chrétiens, surtout, reconnaissent le « miracle d'Israël », mais ce miracle revêt à leurs yeux les signes du

---

1. Voir Exode 4, 5 ; 6, 7 ; 34, 10 ; Lévitique 18, 25 ; Deutéronome 11, 12 ; Isaïe 44, 8. *TB Yoma* 69b ; *Nedarim* 32a ; *Babba metsia* 106a. *Tanhouma*, *Toldot* 5. *Zohar* III, 216b. *Tiqqouné HaZohar* 50 (86b) ; 60 (100a). RACHI, *Exode* 8, 18 ; 18, 1 ; 33, 14. MAÏMONIDE, *Ma'amar Tehiyat HaMetim*. NAHMANIDE, *Exode* 3, 13 ; 13, 16 ; 19, 5 ; 33, 13-16. *Kouzari*, I, 9 ; II, 29-33, IV, 3. R. SHLOMO BEN ABRAHAM ADRET, *Aggadot HaChass*, *Taanit* 10. LE MAHARAL, *Guevourot HaChem*, *Hakdama*, *Peirouchei Maharal LaAggadot HaChass*, IV, *Ketoubbot* 100b, p. 90. R. ÉLIYAHOU, *Adéret Eliyahou*, p. 10, 85, 88-89, 174, 340, 354-355, 365, 494, 516, 530, 548, 560, 573. R. HAYYIM DE VOLOJINE, *Néphech HaHayyim*, IV, 18, p. 44 ; voir aussi *Rouah Hayyim*, *Avot* V, 5, p. 78. MALBIM, *Gen.* 22 ; 25, 5 ; 26, 1 ; 48, 16 ; *Exode* 33, 13-16. BEIT HALÉVI, *Bereichit*, p. 16, 32, 35, 48 ; *Chemot*, p. 53. *Ha'amek Davar*, *Gen.* 10 ; 27, 35. HAFETS HAYYIM, *Chem Olam* (5655), *Cha'ar HaHithazkout*, IV, 14b. R. YOSSEF YEHOUDAH LEIB BLOCH, *Chiourei Da'at* (Brooklyn, New York, 1964), p. 63, 79, 166. *Sefat Emet*, I, p. 193, 214, 222. RAV KOOK, *Olat Re'iya*, I, p. 26, 436-437. R. YAAKOV MOSHÉ HARLAP, *Mei Merom*, *Avot*, p. 138. R. MENAHEM, M. KASHER, *HaTekoufa HaGuedola* (Jérusalem, 5729), p. 103, 128, 392, 548, 553, 555.

mystère présidant à leurs conceptions religieuses. En effet, leur doctrine fait appel à l'enseignement d'un mystère surnaturel, qui garde ses attaches avec les traditions magiques des anciennes religions à mystères ; aussi le miracle d'Israël, de ce peuple qui joue un rôle primordial dans la genèse du christianisme, se trouve-t-il englobé dans l'économie de cette doctrine. On ne lui permet pas de se libérer de la force secrète qui l'y enserre [1]...

Pour les théologiens chrétiens de l'histoire, le « miracle du peuple d'Israël » est un fait surnaturel, qui vient de Dieu, mais il n'implique pas nécessairement des obligations d'ordre moral envers ce peuple. Pour les vrais philosophes juifs de l'histoire d'Israël, la pérennité miraculeuse de ce peuple a des implications morales

« Ainsi donc, après avoir prouvé la doctrine par le miracle, il faut prouver le miracle par la doctrine ! » Cette réflexion faite par Jean-Jacques Rousseau [2] au sujet du christianisme en général, s'applique également au miracle-doctrine de l'histoire d'Israël. Les penseurs chrétiens, de Thomas d'Aquin à Paul Claudel, ont tous considéré le miracle d'Israël comme un mystère. Il fut pour Pascal, Chateaubriand, Lacordaire et tant d'autres après eux, aux heures de leurs méditations, un sujet d'émerveillement, soustrait à la maîtrise de la raison humaine ; il représente à leurs yeux un fait surnaturel qui relève, par son essence, du domaine surhumain ; il n'appartient donc pas à l'homme de l'élucider : il vient de Dieu, il est voulu par Lui et, ô paradoxe, il n'implique pas nécessairement pour ceux qui y croient des obligations d'ordre moral, pratique, en faveur du peuple qui l'incarne. Au contraire, le miracle-preuve de la survivance

1. Voir Romains 11, 25 ; 11, 11.
2. Jean-Jacques ROUSSEAU, *Œuvres complètes*, Paris, 1823, II, p. 86.

d'Israël, peuple « déicide » et « témoin », devrait plutôt impliquer une attitude équivoque où le mépris atténuerait l'étonnement et justifierait même à son égard l'inimitié que, seule, une hautaine indulgence pourrait encore modérer.

Aux yeux des philosophes authentiques de l'histoire juive, la conservation du peuple d'Israël malgré ses vicissitudes, constitue certes un miracle. Cependant ce miracle n'est point un mystère ; il ne se refuse pas à l'analyse, mais il convient de le considérer avec lucidité afin d'en tirer les leçons de morale qui s'imposent.

Qu'est-ce qu'un miracle dans l'esprit du judaïsme ?

Le miracle est un acte extraordinaire, mais non pas nécessairement surnaturel (ainsi qu'on le définit habituellement dans les dictionnaires) ; il déroge aux lois courantes de la nature, mais n'en renverse pas l'ordre fondamental, il ne se situe pas en dehors de lui ; bien au contraire, il s'insère dans les phénomènes naturels, il se réalise par les moyens que la nature elle-même met à sa disposition [1].

Le miracle n'est pas inexplicable. Il est un *nés* : il se déploie comme un « drapeau [2] » qui nous précède dans notre marche vers le bien, il se dresse comme une « colonne » dont on peut déchiffrer les indications ; il se

1. Voir *TB Chabbat* 21b, 97b ; *Pesahim* 118b ; *Nedarim* 47a ; *Houllin* 127a. *Nb. R.* 9 ; 5. R. YOSSEF ALBO (XVe s.), *Séfer HaIkkarim*, I, 12 ; *Sefat Emet*, I, p. 202 ; mais voir aussi *TB Taanit* 23b, 24a, 25a ; *Érouvin* 29b ; *Hagigah* 3b ; *Ketoubbot* 62b ; *Avodah zarah* 10b ; *Megillah* 7b.

2. Voir Psaumes 60, 5-6. *Mekhilta*, *Yitro* 20, 20. *Exode R.* 22. RACHI, *Nb.* 21, 8 ; *Deut.* 7, 19 ; *Yoma* 21. NAHMANIDE, *Lev.* 26, 11 ; *Deut.* 13, 3 ; 34, 11. SEFORNO, *Exode* 7, 9. *Adéret Eliyahou*, p. 548. *Sefat Emet*, I, p. 214. *Shem MiShemouël*, *Houkkat*, p. 325. *Méchékh Hokhma*, *Bo*, p. 57. *Ha'amek Davar*, *Exode* 25 ; *Deut.* 4. *HaTekoufa HaGuedola*, p. 239, 594-595.

dévoile comme un *ôt*, il est un « signe » divin qui nous éclaire sur l'avenir et nous incite à la réflexion ; il se présente comme un *mofét* (« preuve »), en réponse à une exigence morale et dans le but d'aider l'homme à accomplir sa vocation morale. Il n'intervient pas uniquement parce que Dieu le veut, mais aussi parce que l'homme le Lui demande, car il en a besoin [1]. Et c'est parce qu'il répond à une exigence morale que sa raison ne doit pas échapper à l'homme. Prodigué par Dieu, il sera donc nécessairement achevé par l'homme. Sur le plan de la nature, le miracle ne proclame pas l'avènement de l'impossible, mais prouve qu'est possible ce qui avait été considéré comme impossible ; sur le plan moral, historique, le miracle atteste ce qui est indispensable et urgent [2]...

Le miracle biblique a lieu pour susciter non l'étonnement passif de l'homme, mais une réflexion le conduisant à l'action morale

Le miracle biblique n'est pas un phénomène qui éveille l'« étonnement » passif de l'homme, ainsi que le voit le traducteur chrétien de l'Ancien Testament dans sa version latine, la Vulgate qui le désigne par *miraculum* (il sera plus tard accepté comme *Wunder*, *wonder*) ; il est un événement qui suscite la réflexion, incite à l'étude des motifs qui l'ont produit, et oriente la pensée vers l'action [3].

1. Voir *Exode R.* 38, 4 ; *Kouzari*, I, 67.
2. Voir MAÏMONIDE, *Michneh Torah*, *Milkhot Yessodei HaTorah*, VIII, 1 ; *Guide des égarés*, III, 24 ; *Chemona Perakim*, VIII ; *Ma'amar Tehiat HaMetim*.
3. Au-delà de la contemplation de ses « merveilles » *(niflaot)* le miracle nous invite à « penser » *(hiskilou)* à ce que nous devons entreprendre ; ne pas répondre à son invitation à « raisonner » et à agir est un « péché » : « Nous et nos pères, nous avons péché... Nos pères en Égypte n'ont pas médité [le sens de] Tes merveilles... » (Psaumes 106, 6-7).

Dieu accorde le nés *(« miracle ») à l'homme après l'avoir soumis à un* nisayon *(« épreuve »)*

En général, le miracle est présenté dans la Bible hébraïque comme un *nés*, comme une preuve de la bienveillance de Dieu, accordée à l'homme après le *nisayon*, auquel Dieu l'a soumis [1]. Le *nés* répond au *nisayon*. Par le *nisayon*, l'homme a vaincu sa propre nature, à l'intérieur de lui-même ; par le *nés*, Dieu vainc la nature qui entoure l'homme au profit de ce dernier.

Par le *nisayon*, Dieu annonce au monde la puissance spirituelle de l'homme ; par le *nés*, l'homme annonce au monde la puissance matérielle de Dieu [2].

---

1. Abraham fut d'abord soumis à un *nisayon* (préparer le « sacrifice » de son fils Isaac) auquel il se soumit sans réserve, puis survint le miracle (son fils est sauvé, le bélier apparaît). Genèse 22, 1 ; 12-13. Le Midrach (*Gen. R.* LV, 11-12) nous fait remarquer avec pertinence que le « mérite » acquis par Abraham lors de la préparation du sacrifice d'Isaac a rendu possible le miracle de la libération des Israélites de l'esclavage égyptien. En nous penchant sur les commentaires traditionnels du sacrifice d'Isaac, nous avons l'impression que les grands exégètes juifs de la Torah saisirent le lien qui unit le *nés* et le *nisayon*, l'affinité de leurs racines et de leurs actions. (Voir *Gen. R.* LV, 1, 5 ; MAÏMONIDE, *Guide des égarés*, III, 24.) La Michnah (*Avot* V, 3-5) nous fait voir clairement la succession « logique » des épreuves et des miracles ; elle relève d'abord les *nisyonot* auxquels Dieu soumit Abraham, et ensuite les *nisim* qu'Il accorda à nos ancêtres. Mais ceux-ci n'ont pas assez médité le sens des miracles dont ils furent l'objet, et à leur tour « soumirent » Dieu à des *nisyonot* ! L'ordre que la Michnah observe, en relevant d'abord les *nisyonot* puis les *nisim*, est fort caractéristique. Le *nisayon*, qui vient de Dieu pour affermir le caractère de l'homme, est une « grâce rigoureuse » ; le *nisayon*, par lequel l'homme répond à Dieu, est un péché outrageant ! (Voir *Gen. R.* LV, 3.) Voir Deutéronome 6 ; Exode 17. *TJ Yoma* I, 4. *TB Taanit* 9a. RAMBAM, *Deut.* 6, MALBIM, *Exode* 17.

2. Voir Psaumes 60, 6. *Mekhilta*, *Yitro* 20, 20. *Gen. R.* 55. *Avot deRabbi Nathan*, 33. *Tanna devei Eliyahou rabba*, 16. *Yalkout Shi*-

Le nés *récompense ou avertit les hommes, suivant leurs mérites ou démérites*

Le *nés* est une révélation de la grâce de Dieu, suivant les mérites des hommes, fermes dans leur foi et dans l'observance des commandements divins, mais aussi suivant les démérites des hommes qui ont perdu la foi et méconnu les préceptes divins[1]. Le *nés* ne contient aucun élément magique[2], il se réalise dans la coopération entre Dieu et les hommes dont la foi est constante, puis s'étend à

---

meoni, *Vayéra* 21, 96. Voir *TB Chabbat* 23b ; *Roch ha-chanah* 18b ; *Megillah* 3b. *Zohar* II, 41a, 174a. RACHI, *Nb.* 21, 8 et *Yoma* 21a-b. RAMBAM, *Moré Nevoukhim*, I, 63. RAMBAM, *Gen.* 22, 1, *Exode* 13, 16 ; *Emouna OuBitahon*, VI. SEFORNO, *Exode* 7, 9. R. MOCHÉ HAYYIM EPHRAÏM DE SUDYLKOW, *VaYélekh* (Pietrkov, 5672). MALBIM, *Gen.* 48, 16, *Exode* 17, 15. R. ÉLIYAHOU ÉLIÉZER DESSLER, *Mikhtav MeEliyahou* (Jérusalem, 5719), p. 178.

1. Voir *Mekhilta*, *Bechalah* 14, 15. *TB Berakhot* 4a, 20a, 30, 31a, 33a ; *Chabbat* 33b, 53b ; *Pesahim* 112b ; *Taanit* 18b, 20b ; *Gittin* 45a ; *Qiddouchin* 29b, 40a ; *Sotah* 36a ; *Babba batra* 119b ; *Sanhédrin* 94a, 98b. *Gen. R.* 30 ; *Exode R.* 1 ; 21 ; 25 ; 38 ; *Lev. R.* 34 ; *Nb. R.* 9. *Pesiqta Zoutarta*, *Bechalah*. *Pirkei deRabbi Eliézer*, 42. *Midrach Chemouel*, 32. *Midrach Talpiot*, 5. *Zohar* II, 25a. RACHI, *Gen.* 32, 10. RAMBAM, *Ma'amar Tehiat HaMetim*. RAMBAM, *Nb.* 20, 1. SEFORNO, *Exode* 7, 9. R. YOSSEF ALBO, *Séfer Haïkkarim*, IV, 22. R. HAYYIM DE VOLOJINE, *Rouah Hayyim*, *Avot* V, p. 78.

2. Voir Nombres 21, 8. *Mekhilta*, *Bechalah*, *VaYavo Amalek*, I, 17, 11. *Sifré*, *Deut.* LVIII, 13, 3. *TB Roch ha-chanah* 29a ; *Deut.* 13, 2-6 ; *TB Sanhédrin* 90a ; *TB Chabbat* 156a, *Jér.* 10, 2 ; *TB Soukkah* 29a. RAV SAADIA GAON (882-942), *HaEmounot veHaDéot*, III. MAÏMONIDE, *Hakdama laMichnah* (Jérusalem, 5721), p. 53 ; *Michneh Torah*, *Hilkhot Yessodei haTorah*, VIII, 2 ; IX, 1-4 ; *Moré Nevoukhim*, III, 24 ; voir aussi *Hilkhot Melakhim* XI, 3, mais voir également *Iggéret Teiman*. NAHMANIDE et MALBIM, *Deut.* 13, 2. R. AHARON HALÉVI DE BARCELONE, *Séfer HaHinoukh*, *Mitsvah* 456. R. LÉVI BEN GERSHON (RALBAG, XIIIe-XIVe s.), *Milhamot HaChem*, II, 1. R. YOSSEF ALBO, *Ikkarim*, I, 18. IBN EZRA, RABBEINOU BAHYA, RECANATI, ABRAVANEL, HOFFMANN, *Deut.* 13, 2-6. R. SAMSON RAPHAËL HIRSCH, *Gen.* 1, 14. R. ÉLIYAHOU ÉLIÉZER DESSLER, *Mikhtav MeEliyahou*, I, p. 238 ; III, p. 277-278.

une coopération entre Dieu et tout homme, éclairé, par la suite, dans sa croyance. Le miracle oblige l'homme à bien agir dans des circonstances précises et dans des lieux définis : à « bénir » Dieu pour Sa miséricorde et à poursuivre l'œuvre commencée, à la lumière de l'enseignement acquis, par Sa miséricorde ; à « célébrer », en tout temps et en tout lieu, la manifestation de la bonté divine [1]. L'homme retient, vit, par la « bénédiction » et la « fête », le *nés* qui a lieu dans le passé et qui reste, néanmoins, unique et valable [2].

Dieu souhaite que l'homme, par l'observance des mitsvot *transforme la nature en miracles*

Car l'homme ne doit pas compter sur de nouveaux miracles que Dieu ne désire pas réitérer. « Ce n'est pas chaque jour que le miracle arrive [3] ! », nous avertissent nos sages. Et

1. Voir Exode 10, 2.15 ; Isaïe 43, 21 ; *Ezra* 3, 11. *Tossefta Soukkah* III et *Sotah* VI. *TJ Pesahim* X, 6. *Megilat Taanit* IX. *TB Berakhot* 54a-b ; *Chabbat* 21b ; *Pesahim* 95b, 116-117-118-119 ; *Taanit* 28b ; *Sanhédrin* 92b et RACHI, *ad loc.*, 94a, *Arakhin* 10a-b (voir aussi *TB Nedarim* 41a ; *Chabbat* 33b ; *Érouvin* 64a). *Masskhet Sofrim*, XIX, 9. *Exode R.* 1, 40 ; 23, 13 ; *Nb. R.* 5 ; 19, 20. *Lam. R.* 2. *Pesiqta de Rav Kahana*, 29. *Tanhouma*, *Bechalah*. *Choheir Tov*, 18 ; 70 ; 149. *Zohar* I, 173b ; II, 41a, 174a. RAMBAM, *Exode* 13, 16. *Tour*, *Orah Hayyim*, 218. *Choulhan Aroukh*, *Orah Hayyim*, 218. *Hiddouchei Rabbeinou Yona*, *Berakhot*, II. *Cheeilot ouTechouvot*, *Hatam Sofer*, *Yore Déa*, 233 ; *Orah Hayyim*, 191. *Tiqqouné HaZohar* 24b ; 25a : « Yisraël : Chir El » (« Israël : le chant de Dieu ! »).

2. « Il ne faut pas se baser sur un miracle. » Voir *TB Berakhot* 33a, 35b, 54a, 60a (mais voir aussi *Tiqqouné HaZohar* 52 (87a) ; *Houllin* 7a ; *Chabbat* 32a ; *Érouvin* 29b ; *Taanit* 20b, 24a, 25a ; *Hagigah* 3b ; *Yoma* 21a ; *Qiddouchin* 29b mais aussi 39a. *Zohar* I, 111b, 230b. RAMBAM, *Nb.* 13, 1. R. YEHOUDAH HÈ-HASSID, *Séfer Hassidim*, 794. Mais voir aussi *TB Pesahim* 64b et *Horayot* 11b. RACHI, *Megillah* 3b.

3. (*TB Pesahim* 50b. *Zohar* I, 111a ; voir *Zohar* I, 230b ; mais voir aussi *Zohar* I, 185b.)

s'il arrive, il ressemblera seulement aux miracles passés[1]. Dieu n'accorde que peu de prodiges, car Il préfère que l'homme vive en permanence dans la foi et observe Ses commandements, sans avoir besoin de miracle[2] ; Il souhaite que l'homme réalise chaque jour le miracle dans sa vie par un comportement digne de Son enseignement, ainsi Lui, Dieu, ne dispensera de miracles qu'exceptionnellement : Dieu souhaite que l'homme transforme sa nature en miracles permanents, quotidiens, qu'il devienne, selon l'expression des sages d'Israël, un « familier » des bougies de Hanoukkah[3] !...

Le miracle est « originellement intégré » par le Créateur dans l'ordre même de la nature, qui est ouverte et non fermée

Le miracle est donc un fait singulier ; ce n'est pas, toutefois, son phénomène extraordinaire qui nous impressionne. Celui-ci, avons-nous déjà dit, ne sort généralement pas de l'ordre naturel[4] : il y est même « originellement conditionné » par le Créateur, et il est admis par l'homme comme un « événement possible[5] » ; il est seulement soustrait à une

1. Voir Michée 7, 15 ; Isaïe 11, 11. *Lev. R.* 28, 4 ; *Eccl. R.* 3, 18 ; mais voir aussi Jérémie 23, 7 ; Isaïe 43, 18-19.

2. Les patriarches ont vécu, plus encore que Moïse, dans une parfaite foi en Dieu. C'est pourquoi Il ne S'est pas révélé à eux par des miracles spéciaux. (Voir *TB Sanhédrin* 111a ; *TB Yoma* 28b. *Exode R.* 6, 4. *Kouzari*, II, 2. RAMBAM, Exode 6, 2-3.)

3. *TB Chabbat* 23b. *Zohar* I, 48.

4. Voir l'Annexe p. 140.

5. Voir *Mekhilta deRabbi Shimeon bar Iohaï*, *Bechalah* 14, 27. *Gen. R.* 4, 5 ; 5, 5 ; *Exode R.* 21, 6. *Zohar* II, 49a, 56a, 58a, 198b. RAV SA'ADIA GAON, *HaEmounot veHaDéot*, III. *Kouzari*, I, 67 ; II, 2 ; III, 73 ; V, 4. MAÏMONIDE, *Peirouche HaMichnah*, *Avot* V, 6 ; *Chemona Perakim*, VIII ; *Guide des égarés*, II, 25 ; 29. NAHMANIDE, *Gen.* 1 ; mais aussi *Deut.* 13, 2. GERSONIDE (RALBAG), *Milhamot HaChem*, II, 1. LE MAHA-

prévision certaine, humaine[1], car il fait son apparition dans une nature qui ne doit pas être considérée comme immuable, rigide, mécanique (les hommes de science contemporains confirment cette conception de la nature ouverte, par opposition à la conception grecque, déterministe et matérialiste de la nature fermée !).

Le miracle s'accomplit à un moment qui est en accord avec la « logique morale » des choses. Le miracle doit restaurer un état de choses que la méchanceté de l'homme a détérioré, a « dénaturé ». Quand l'homme sépare la nature de la morale, le miracle a lieu, manifestement, « ouvertement » pour montrer que la nature et la morale, la nature et la Torah, ont un même auteur, un même Maître. Le miracle ramène la nature et la morale à leur source commune, là où le temps matériel et le temps moral ne font qu'un, là où nature et morale coïncident

Le miracle est cependant extraordinaire par le moment où il se révèle et par l'endroit où il a lieu[2]. « Le miracle ne se situe pas au-dessus de la nature, mais au-dessus du temps », affirme un *tsaddiq* hassidique, Rabbi Yehoudah Leib de Gora, auteur du *Sefat Emet*. C'est donc le moment choisi par Celui qui le dispense qui compte dans le jugement que nous portons sur son avènement. Et ce moment entre dans

---

RAL, *Guevourot HaChem*, *Hakdama Beit*. R. H̲AYYIM ATTAR (1696-1743), *Or HaH̲ayyim*, *Gen.* 1, 5. R. ÉLIYAHOU, *Adéret Eliyahou* (Tel-Aviv, s.d.), p. 354, 456. R. ISRAËL LIFSCHITZ, *Tiféret Israël*, *Avot* V, 6. R. MOCHÉ SOFER (1763-1839), *H̲atam Sofer*, *Deut.* 34.

1. « Ce que la nature fait en plusieurs centaines d'années, le miracle le fait en un instant » (R. MEÏR LEIBOUSH MALBIM, *Exode* 31, 18).

2. Voir *Kouzari*, I, 67 ; II, 2. IBN EZRA, *Deut.* 16, 33. *Ha'amek Davar*, *Gen.* 1, 14 ; 9, 17.

la « logique » morale des choses [1]. Il a sa raison. Il est comme le Messie, fiévreusement attendu, même si sa venue reste imprévisible. Comme celui du Messie, son avènement se prépare ici-bas et surprend pourtant par sa venue d'en haut [2]. Le miracle surprend d'en haut, comme le soleil à Giv'on au temps de Josué [3], ou comme les étoiles sorties de leurs orbites au temps de Déborah [4] ; le miracle jaillit du fond des abîmes comme au temps de Moïse [5] et de Josué [6], il se jette dans le cours « normal », matériel, cyclique, du temps non pas pour l'interrompre, mais pour infléchir sa trajectoire et l'acheminer vers le but qui lui a été assigné ; il rectifie ce cours qui n'est normal qu'en apparence, mais qui est rendu anormal par la méchanceté des hommes ; il le « normalise », il lui donne une direction, c'est-à-dire qu'il l'arrache à une précipitation fatale et lui imprime une nouvelle direction ; il le reconduit à ses sources, là où le temps mathématique et le temps moral ne font qu'un, là où la nature et la morale coïncident. Le miracle ne détourne pas l'histoire de sa marche initiale, mais la remet sur son véritable chemin... Le miracle comprend ainsi une double opération : il corrige et il dirige. Il corrige d'abord le temps matériel, qui s'est disjoint et éloigné du temps moral. Quand l'homme sépare la nature de la morale et s'interpose entre elles pour se servir de la nature contre la morale, pour uti-

---

1. Voir Rambam, *Chemona Perakim*, VIII.
2. Voir Exode 14, 16 ; 17, 12. *Mekhilta*, *Bechalah* 14, 15. *TB Sotah* 36b-37a. Rambam, *Gen.* 6, 19. Malbim, *Exode*, 17, 12. *Ha'amek Davar*, *Lev.* 25, 20. *Sefat Emet*, I, p. 215, 217. *Mikhtav MeEliyahou*, III, p. 119. Voir *TB Sanhédrin* 98a. *Zohar* I, 117b, 119a ; II, 10a ; III, 66b, 252a. *Tiqqouné HaZohar* 21 (55a).
3. Josué 10, 12.
4. Juges 5, 20.
5. Voir Exode 15. Voir aussi Ibn Ezra et Rambam, *Gen.* 1 ; Rachi et Rambam, *Nb.* 16, 30. *Or HaHayyim*, *Gen.* 1, 5. *Sefat Emet* I, p. 193. *Shem MiShemouël*, *Bemidbar*, p. 325. *Chiourei Daat*, I, p. 83.
6. Voir Josué 3.

liser les forces de la nature et s'emparer de ses richesses au détriment de son prochain, le miracle intervient, brise l'orgueil du puissant, répond à la sollicitation du faible, et relie à nouveau la nature et la morale. Le miracle apparaît alors pour montrer que la nature et la morale, la nature et la Torah, ont un même auteur, un même Maître : Dieu[1]. Celui-ci ordonne à l'homme d'harmoniser nature et morale, c'est là sa vocation. Si l'homme s'obstine à désobéir à ce commandement divin et si son prochain privé de ses droits « élève sa supplication vers Dieu », le Créateur-Roi force la nature puissante à venir à l'aide de la morale spoliée. Il force la nature opulente à secourir la Torah offensée, Il fait remonter la nature à la Torah, qui en constitue le Plan, la Charte[2]. « Ma main est-elle devenue trop courte pour délivrer, ou n'y a-t-il plus de force en Moi pour sauver ? Voici, je fais tarir la mer quand Je la menace ; Je change les fleuves en déserts... », s'exclame le prophète Isaïe au nom de l'Éternel[3] !

Pharaon se croyait sûr de son pouvoir matériel et refusait la liberté aux esclaves hébreux, il les poursuivait de ses chars, mais son entêtement et son orgueil furent engloutis dans une mer houleuse... Antiochus lançait ses guerriers « nombreux » et équipés contre une petite légion juive qui défendait la foi et la terre de leurs pères et de leurs enfants ; mais sa force fondit devant la flamme sacrée...

---

1. Voir Exode 34, 10 ; Isaïe 40, 20-31 ; 41, 8.20 ; Jérémie 5, 22-25 ; 32, 27 ; Habaquq 3, 6.11-13. « "À Toi, Éternel, appartient la grandeur et la force" (1 Chroniques 29, 11) : la grandeur concerne la Création ; la force concerne la sortie d'Égypte » (*TB Berakhot* 58a). Voir *Kouzari*, III, 73.

2. Voir *Gen. R.* 1, 1. *Tanna devei Eliyahou R.* 31. *Zohar* I, 5a.

3. Isaïe 50, 2 ; voir Isaïe 41, 8-20 ; 43, 16-22 ; 52, 10 ; 55, 8-13 ; Exode 6, 5.6 ; Deutéronome 26, 8 ; Psaumes 89, 6.12. *Gen. R.* 5, 5. *Yalkout Shimeoni*, 167. Voir *TB Sotah* 36a.

Les hommes à qui un miracle est accordé ne doivent pas s'en enorgueillir. Il leur incombe de parachever ce miracle, jour après jour, par leur observance de la Torah et des mitsvot, *et c'est à cette fin que le miracle leur a été accordé*

Toutefois, les bénéficiaires de ces prodiges, eux, ne se vengent pas de leurs ennemis et ne se vantent pas de leur exploit ; car, si leurs ennemis sont devenus par leur rébellion aux ordres de Dieu les « ennemis de Dieu », ils sont pourtant restés « les créatures de Ses mains », objets de Sa pitié divine, en faveur desquelles Il commande l'affection humaine, fraternelle [1]. Les bénéficiaires de Ses prodiges prennent avant tout connaissance de leur message : ils mettent aussitôt leur nature au service de la morale, et leur nature leur obéit : elle se moralise. C'est pourquoi, la Tradition ne voit pas les Israélites se réjouir de la défaite des Égyptiens, mais célébrer la Présence de Dieu parmi eux et exécuter d'un cœur joyeux le service qu'ils Lui doivent ; la Tradition ne fête pas non plus la victoire physique, militaire, des Maccabées, mais relève le miracle autour du calice d'huile [2], marquant ainsi le triomphe de la Torah, de la lumière spirituelle, dans le monde physique.

Car le miracle s'est produit pour faire connaître à nou-

---

1. Voir *TB Megillah* 10b ; *Sanhédrin* 22a, 39b. 1 Maccabées 3, 17-20. *Midrach, Tannaïm, Devarim* 23, 8 ; *Michlei* 24, 17. *Avot* IV, 19. RAMBAM, *Exode* 13, 16. Pourim est célébré les jours où les Juifs avaient obtenu rémission de leurs ennemis (Esther 9, 22), et non pas les jours où leurs ennemis avaient été punis. Voir R. MEÏR SIMHA KOHEN, *Méchékh Hohma* (Jérusalem, 5714), p. 51. Voir *Yalkout Shimeoni*, 654.

2. « Les Syriens, ayant pénétré dans le Temple, avaient profané toutes les huiles. Après que la maison asmonéenne eut eu raison de l'ennemi, on chercha dans le Temple et on ne trouva qu'une seule fiole d'huile qui portait le sceau intact du grand prêtre. Le contenu de cette fiole aurait pu suffire pour un jour au plus, mais un miracle se produisit et elle brûla huit jours » (*TB Chabbat* 21b).

veau la correspondance nécessaire, l'identification même entre la nature et la morale, entre la nature et l'histoire, ainsi que le Créateur et Souverain le veut. Le miracle exceptionnel se manifeste « ouvertement », « visiblement », directement, pour inviter l'homme à le poursuivre quotidiennement, à le parfaire sans cesse dans sa vie. Il a commencé par corriger le passé, il continue en dirigeant le présent et en préparant l'avenir. Sa structure est naturelle, sa fonction morale, sa visée historique.

Le miracle a lieu quand les circonstances historiques l'exigent, quand les besoins éthiques communautaires le réclament

Dans l'optique du judaïsme, le miracle n'intervient pas pour prouver l'existence de Dieu, encore moins pour fonder une théologie de l'essence de Dieu, ou une doctrine de Sa révélation, mais pour annoncer Sa volonté aux hommes : il intervient quand les circonstances historiques l'exigent, quand les besoins éthiques communautaires le réclament[1].

Les *hassidim* racontent qu'un homme de science a fait remarquer à Rabbi Israël Baal Chem Tov qu'au moment où les Israélites devaient passer la mer Rouge, elle dut se fendre conformément aux lois de la nature. « En quoi consiste alors le miracle ? » demanda-t-il au père du hassidisme. Le Baal Chem lui répliqua : « Le miracle consistait dans le fait que le Saint, béni soit-Il, Créateur de la nature, a donné à la mer une nature telle qu'elle a été obligée de se fendre au passage des Israélites[2]... »

Rabbi Israël Meïr de Radin, l'auteur du *Hafets Hayyim*,

1. Voir RAMBAM, *Michneh Torah*, *Hilkhot Yessodei HaTorah* VIII, 1. Les miracles accordés à l'individu sont destinés à la communauté, au peuple, à l'humanité.

2. Voir R. YEHOUDAH HALÉVI, *Kouzari*, I, 67 ; RAMBAM, *Chemona*

s'adressa un jour à des mécréants qui raillaient le miracle de la traversée de la mer Rouge, en leur disant : « Vous croyez bien à la création de la mer Rouge, mais vous ne croyez pas au partage de ses eaux ! »

Les miracles importants, dont l'Écriture sainte nous relate qu'ils ont affermi la foi religieuse dans l'âme humaine, concernent toute la communauté d'Israël, ont un caractère historique général[1] et visent à l'amélioration des conditions de vie, matérielles et spirituelles, des hommes. Leur auteur ne S'en sert pas pour S'imposer en tant que Dieu : Il ne les dispense pas démesurément ; leur bénéficiaire, à son tour, ne les réclame pas abusivement : il sait, que de les obtenir n'augmenterait guère ses « mérites[2] » !

Le judaïsme n'a pas besoin de miracle « extraordinaire », « surnaturel », pour prouver l'existence de Dieu ; l'homme peut concevoir cette existence de Dieu par la raison dont Dieu l'a doué ; par la « découverte » consciente du miracle « caché » de la création ; par la « découverte » réfléchie du miracle de sa propre vie. Le miracle est nécessaire lorsque l'homme ne perçoit plus le miracle « caché » de sa propre existence

À dire vrai, est-ce par un miracle que l'homme doit reconnaître l'existence de Dieu ? Le judaïsme enseigne que l'homme peut concevoir l'existence de Dieu par la raison dont Celui-ci l'a doué. Cette raison dont le Maître de la

---

Perakim, VIII. R. NAFTALI TSEVI YEHOUDAH BERLINE, *Haamek Davar*, *Gen*. 1, 14.

1. Voir Exode 14, 31 ; Deutéronome 34, 12. Voir *TB Berakhot* 54a. RAV SA'ADIA GAON, *HaEmounot vehaDéot*, *Hakdama*.

2. Voir *TB Chabbat* 32a ; *Taanit* 20b ; mais voir aussi *TB Chabbat* 53b ; *Yevamot* 64b ; *Babba metsia* 87a. *Zohar* I, 111b, 230b. RACHI, *Gen*. 32, 11. *Tossafot Gittin* 46b. *Séfer Hassidim*, 103. MALBIM, *Gen*. 32, 4.

sagesse l'a pourvu et que lui, l'*homo sapiens*, utilise pour observer et dominer la nature qui l'entoure, est en elle-même un miracle. « Le fait que le monde de notre expérience sensible est compréhensible, est un miracle », affirme avec humilité Albert Einstein, le génial investigateur du miracle de la création[1]. À l'aide de sa raison, tout homme peut découvrir le « miracle caché » de la création, le maintien et le renouvellement quotidien de la création, et prendre conscience du miracle de sa propre vie. La volonté du Créateur et la Providence de Dieu, Son *ratson* et Sa *hachgaha*, sont à la portée de chacun de nous, de tout homme « moyen » *(beinoni)* pour parler le langage de Rabbi Chnéour Zalman de Lyadi. Le croyant ne puise pas sa foi dans la perception de l'événement unique, miraculeux, ou dans la Tradition qui s'y rapporte, mais bien plus dans la connaissance de la nature qui est un miracle permanent et dans l'expérience « des miracles que Dieu prodigue chaque jour » à notre égard, et qu'« Il continue à accomplir[2] »... L'homme sait que l'univers est la manifestation de la sagesse, de la volonté et de la bonté de Dieu. Il sait qui l'a créé, mais ignore comment il l'a été. Le commun des mortels le sait aussi bien que l'homme de science qui, tout en

---

1. Albert EINSTEIN, *Conceptions scientifiques, morales et sociales*, Paris, Flammarion, 1952, p. 69. Voir SPINOZA, *Tractatus thelogico-politicus*, chap. VI, « De miraculis ».

2. Nature et miracle : le croyant ne puise pas sa foi dans la perception de l'événement unique, miraculeux, mais bien dans la connaissance de la nature qui est un miracle permanent, que Dieu « prodigue chaque jour ». Voir Psaumes 104. *TB Berakhot* 54a, 59a, 60b ; *Chabbat* 53a ; *Pesahim* 118a ; *Taanit* 25a ; *Nedarim* 41a ; *Houllin* 7b, 139a ; *Niddah* 31a. *Gen. R.* 14, 11 ; 20, 22 ; 59. *Exode R.* 6, 4 ; 24. *Tanna deveiEliyahou rabba*, II. *Choheir Tov*, 9 ; 106. *Zohar* II, 191a ; III, 200b-201a. *Kouzari*, II, 2. RASHBA, *Agadot HaChass Taanit*, 10. RAMBAM, *Exode* 13, 16. R. LÉVI YITSHAK DE BERDITCHEV, *Kedouchat Lévi* (Munkacs, 5623), *Bechalah*. *Sefat Emet*, I, p. 204. RAV KOUK, *Orot*, *Hakdama*. *Chiourei Daat*, I, p. 83. *Mikhatav MeEliyahou* (Jérusalem, 5713), p. 177-178.

approfondissant les secrets de la réalité objective, ne peut saisir l'origine, l'essence et la finalité de l'univers. Pour le croyant, la nature constitue le miracle : le « miracle caché », qui se dissimule sous les vêtements de la nature, est toujours « ouvert » à ses yeux [1].

L'homme de foi considère la nature elle-même, « ordinaire », « normale », comme un miracle qui se « renouvelle tous les jours par la bonté de Dieu », qui l'a « créée »

Après avoir vécu le miracle du passage de la mer Rouge, les enfants d'Israël comprirent que le miracle n'est pas moins grand lorsqu'ils marchent sur la terre. Cela, disait le *tsaddiq* hassidique Rabbi Élimèlekh de Lyzhansk, auteur du *Noam Elimeleh* [2], ressort du verset de la Torah qui déclare : « les enfants d'Israël marchaient à pied sec [dans la même conscience du miracle que s'ils avaient marché] au milieu de la mer [3] »...

L'homme de foi n'a pas besoin de miracles « ouverts » extraordinaires, pour louer Dieu ; les miracles « cachés » ordinaires lui suffisent.

Le Talmud reproche à H̲izkia, roi de Yehoudah, de ne pas avoir entonné un chant de grâces à Dieu pour les prodiges qu'Il avait accomplis en provoquant la défaite de Sanh̲eriv, roi d'Achour [4]. Or, Rabbi Arié Yehoudah Leib de Gora l'absout du péché qu'on lui impute et justifie sa conduite en alléguant que le roi de Judée n'a pas été impressionné par le miracle extraordinaire qui provoqua la

1. Psaumes 104.
2. R. Élimèlekh de Lyzhansk, *Noam Elimèlekh*, *Liqqouté Shoshana*.
3. Exode 15, 19.
4. Voir *TB Sanhédrin* 94a.

défaite du roi d'Assyrie, car il voyait quotidiennement dans la nature, le miracle de Dieu [1].

Certes, le miracle occupe une place importante dans la religion d'Israël et contribue à affermir la foi en Dieu [2], mais il n'est pas, comme dans d'autres religions, une preuve indispensable de Son existence. Le judaïsme aurait très bien pu s'édifier et se maintenir sans recourir à la lumière émanant des miracles.

Cependant, le miracle intervient lorsque l'homme n'« apprécie plus son propre miracle [3] », ne perçoit plus le miracle de sa propre existence, ne considère plus la nature tout entière comme un miracle voulu par Dieu, mais comme une chose existante par et en elle-même ; lorsqu'il ne s'efforce plus de « voir » le miracle « caché » quotidien [4] et se croit lui-même solidement installé dans un état « normal » et dans une nature qu'il peut exploiter à son gré et à ses propres fins égoïstes. Cet homme qui ne saisit plus la raison d'être de la nature et ne discerne plus sa propre et véritable raison d'être, ouvre alors ses yeux, frappé par un phénomène extraordinaire, si immédiatement perceptible qu'il ne peut pas ne pas le voir. Il perçoit ainsi l'appel divin à la soumission, si clair qu'il ne peut éviter de l'entendre : il se met alors à réfléchir sur la Providence cachée qui régit journellement la nature et sur la Providence ouverte qui a fait paraî-

---

1. Voir Isaïe 43, 16-22. RAV SA'ADIA GAON, *HaEmounot vehaDéot*, *Hakdama*. *Kouzari*, I, 67. MAÏMONIDE, *Peirouche HaMichnah*. *Sanhédrin* X (XI), *H̱élek*, Introduction ; *Maamar Teẖiat HaMétim* ; *Guide des égarés*, II, 25. NAHMANIDE, *Gen.* 46, 15 ; *Exode* 13, 16. R. ISAAC ABRAVANEL, *Roch Amana*, III.

2. Les Israélites n'ont entonné la *Chira* (le véritable « chant » d'action de grâces à Dieu) qu'après avoir traversé la mer Rouge, car c'est là qu'ils ont été saisis d'une authentique *émouna* (« foi » en Dieu). Exode 14, 31 ; 15, 1 ; voir RAMBAN, *Exode*, 13, 16, voir aussi *Gen.* 18, 2. Voir MALBIM, *Exode* 17, 12. R. AVRAHAM DE SLONIM, *Yessod HaAvoda* (Jérusalem, 5719), p. 289.

3. Voir *TB Niddah* 31a.

4. Voir *Zohar* III, 200b.

tre soudainement le miracle [1] le visant directement : il se décide alors à régler sa conduite à la lumière de cette dernière révélation immédiate, personnelle de la *hachgaha*. Le miracle, ce phénomène naturel qui concerne l'« homme du miracle » est unique ; il se reflète dans l'esprit de celui qui le vit et l'examine comme un événement unique d'une portée morale. L'état que l'homme a jugé « normal », indépendant, avant que le miracle ne se soit produit, se mue ainsi en un autre état conscient de corrélation avec le Créateur, état que Dieu considérera comme normal, naturel, parce que désormais il sera en accord avec les exigences de Sa Loi, avec les exigences de la morale.

Le miracle de la pérennité d'Israël doit éveiller dans le cœur des hommes la « crainte de Dieu »

L'existence du peuple d'Israël constitue certes, elle aussi, un miracle, mais si pour les croyants non juifs elle prouve l'existence de Dieu [2], sans qu'en découlent nécessairement des conséquences morales appropriées, pour les Juifs croyants elle doit éveiller dans le cœur de tous la crainte de Dieu, dont l'existence est *a priori* incontestée ; elle doit faire valoir aux yeux de tous la volonté de Dieu [3]. La différence est notoire : lorsque le roi de Prusse, Frédéric II, demanda à son médecin de lui donner une preuve de l'existence de

---

1. Même au sujet d'un phénomène naturel mais extraordinaire comme l'orage, Rabbi Alexandre dit, au nom de Rabbi Josué ben Lévi, que les orages ont été créés seulement pour redresser les replis tortueux du cœur, dont il est dit (Ecclésiaste 3, 14) : « Dieu l'a fait pour qu'on le craigne » (*TB Berakhot* 59a).

2. Voir Isaïe 41, 20 ; 43, 10 ; 44, 6-8 ; 55, 11-13. RAMBAM, *Iggéret Teiman*.

3. Voir Exode 6, 7 ; 7, 5. Deutéronome 28, 10. RAMBAN, *Gen.* 46, 15 ; *Exode* 13, 16. Lévitique 26, 11. RAMBAM, *Maamar Tehiat HaMétim*.

Dieu, le médecin répondit : « Les Juifs, Majesté ! » ; et quand le Talmud[1] conclut ainsi son analyse de la puissance de Dieu et de la liberté qu'a l'homme d'en tenir compte : « Si ce n'était la crainte du Saint, béni soit-Il, comment une nation aurait-elle pu se maintenir au milieu des autres nations[2] ? »

1. Voir *TB Yoma* 69b. *Lam. R.* 3. *Tanhouma Toldot*. *Adéret Eliyahou*, p. 454, *Be'ér Yitshak*. Voir *Megillah* 11a.

2. Le Midrach (*Tanhouma*, *Toldot*, 5) relate également un entretien entre l'important personnage que fut Adrien et un sage, Rabbi Yehochoua, à propos de la survie miraculeuse d'Israël parmi les nations de la terre, telle une brebis parmi les soixante-dix loups. Ce miracle, disait le sage, est dû à la sollicitude de Dieu à l'égard d'Israël, du Berger à l'égard de Son troupeau. (Voir *TB Babba metsia* 106a ; *Sotah* 9a ; *Megillah* 29a. R. YEHOUDAH HALÉVI, *Kouzari*, II, 32. RAMBAN, *Nb.* 33, 1. BEIT HALÉVI, *Bereichit*, p. 32, 48.) Toutefois, R. Yaakov Moché Harlap, le disciple du Rav Kook, souligne la corrélation entre l'existence de Dieu et celle d'Israël ; il écrit notamment qu'« il est impossible de reconnaître l'existence de Dieu sans reconnaître l'existence de Son peuple Israël ; celui qui prétend avoir la connaissance de Dieu indépendamment de la connaissance du peuple d'Israël — nom qui contient le Nom de Dieu — est païen » (*Mei Merom*, V, Jérusalem, 5717, p. 146). Cette conception du Rav Harlap est sans doute influencée par celle de son maître, le Rav Kouk, qui voit, à l'instar de nos sages, dans l'âme du peuple d'Israël « une part du Dieu d'en haut » et pour qui la « racine » de celle-ci est en Dieu même. Les mystiques d'Israël ont toujours été animés par cette foi ; selon le *Zohar* (II, 247b), elle est fondée sur le verset biblique qui dit : « car la part de l'Éternel, c'est Son peuple ; Jacob est le lot de Son héritage » (Deutéronome 32, 9 ; voir Isaïe 43, 10. LE MAHARAL, *Nétsah Israël*, XIII).

Opposition entre le principe du « déroulement miraculeux » et celui du « déroulement naturel » de l'histoire. Le « déroulement miraculeux » de l'histoire se fonde sur la coopération entre la « Providence » divine et la « liberté » humaine, sur la coordination vivante entre l'être et le devenir. Le « déroulement naturel » de l'histoire se fonde sur la force naturelle, sur la « volonté de puissance », considérées en elles-mêmes

La « crainte de l'Éternel » rend possible le maintien du peuple d'Israël parmi les autres peuples ; elle s'empare avant tout du peuple d'Israël lui-même.

Car c'est cette « crainte de l'Éternel », la soumission à Sa volonté, qui fonde le principe de la « direction miraculeuse » présidant à l'histoire juive et la guidant sur la voie de sa réalisation. Ce principe est opposé, nous l'avons dit, à celui de la « direction naturelle », que tous les autres peuples ont adopté dans leur conception de l'histoire ; car le peuple qui adopte la conception matérialiste, naturaliste, de l'histoire et qui voit son accomplissement dans ce monde-ci, se plie aux ordres d'une « direction naturelle » de l'histoire, tout comme les peuples qui « vénèrent » la conception métahistorique, idéaliste, de l'histoire et voient son accomplissement dans un autre monde, dans l'au-delà.

Le principe de la « direction miraculeuse » pour lequel les Juifs optent n'implique pas seulement la foi en la *Hachgaha elyona* (« Providence suprême ») divine, de l'histoire humaine, mais encore l'acceptation de la direction prescrite par Dieu à l'histoire humaine afin de réaliser sa finalité divine. Ce principe implique le dialogue ouvert, la collaboration active entre l'homme et Dieu, dans la liberté et la confiance réciproque [1]. La direction miraculeuse se fonde

1. « Tu as fait dire aujourd'hui à l'Éternel qu'Il serait ton Dieu, et que tu marcheras dans Ses voies... Et l'Éternel t'a fait dire aujourd'hui que tu Lui

sur la coopération entre la Providence divine et l'intelligence humaine, sur la corrélation entre la liberté absolue de Dieu et le libre arbitre de l'homme. La Providence divine n'entrave pas l'exercice du libre arbitre, mais l'affermit, elle aide l'homme si celui-ci l'exige à accomplir sa vocation. Cette vocation consiste à unifier la nature et la morale, et donc à construire l'histoire. La volonté de Dieu d'unifier la nature et la morale par le libre agir de l'homme s'exprime dans l'histoire [1] ; en effet, dans l'histoire l'homme inscrit ses actes qui représentent un « miracle » permanent ; car il les a façonnés à la lumière du miracle unique dispensé par Dieu.

L'histoire a son principe dans un autre monde, dans un « monde supérieur », mais elle se déroule dans ce monde-ci, le « monde inférieur » ; les deux constituent un seul monde. Dieu est l'architecte et l'homme est l'artisan de l'histoire

La coordination vivante de la nature et de la morale, de l'être et du devenir, dans un même règne, constitue l'histoire. L'histoire est un miracle continu. Dieu en est le garant, Israël en est la preuve. « Ainsi a dit l'Éternel — s'exclame le prophète Jérémie — qui donne le soleil pour être la lumière du jour et qui règle la lune et les étoiles pour être la lumière de la nuit ; qui agite la mer, et ses flots grondent. Celui dont le nom est l'Éternel des armées : si ces lois viennent à cesser devant Moi, dit l'Éternel, la race d'Israël cessera d'être une nation devant Moi pour toujours [2] ! »

L'histoire a son principe, sa charte dans un autre monde, mais elle se déploie dans ce monde-ci. Elle se réalise dans la

---

seras un peuple [...] et que tu gardes tous Ses commandements » (Deutéronome 26, 17.18).

1. Voir *TB Pesaḫim* 68a.
2. Jérémie 31, 35.36 ; voir Jérémie 33, 25.26 ; Isaïe 44, 23.

nature sans se confondre avec elle. L'histoire à direction miraculeuse ne fait pas de la force naturelle sa propre force ; elle ne proclame pas la loi de la nature, c'est-à-dire la loi du plus fort [1], comme sa propre loi, car elle ne fonde pas sa puissance sur la quantité, sur le nombre [2], sur la masse, sur l'espace — ainsi que le veut la conception historique égyptienne ou grecque.

L'histoire à direction miraculeuse se déroule dans ce monde et non hors de lui, sans se dérober à la réalité tangible et à ses exigences immédiates : elle ne fuit pas la nature, en se réfugiant dans des régions surnaturelles ou en s'évadant dans des sphères antinaturelles — ainsi que le préconise la conception historique bouddhique ou chrétienne. L'histoire à direction miraculeuse s'installe avec optimisme, avec énergie, dans ce monde : « car l'Éternel ton Dieu marche au milieu de ton camp pour te délivrer [...] que ton camp soit donc saint, de peur qu'Il ne voie chez toi quelque chose d'impur, et qu'Il se détourne de toi [3]. » L'histoire à direction miraculeuse se déroule dans ce monde où l'homme recherche et trouve Dieu, où il vit en Sa Présence ; car Celui-ci l'approche et l'interpelle par un « appel » d'amour, par une *qeria*, qui l'engage, le retient et ne le laisse pas se livrer au jeu d'une « fatalité », d'une *qeria*, ou au hasard d'un « accident », d'un *miqre*, et qui ne le laisse pas non plus prisonnier d'un ordre préétabli, naturel, auquel il ne peut échapper — ainsi que le veut la conception historique païenne [4]. Dans l'économie de la « direction miraculeuse », Dieu est l'architecte et l'homme est l'artisan de

1. Voir *TB Gittin* 60b ; *Babba batra* 34b ; *Avodah zarah* 4a.
2. Voir Deutéronome 7, 7.
3. Deutéronome 23, 15.
4. Voir Rachi, *Lev.* 1, 1. Rambam, *Maamar Tehiat HaMétim* ; *Michneh Torah*, *Hilkhot Taaniot* I, 3. Voir Lévitique 26, 21 ; Nombres 11, 23 ; 23, 3.4.16 ; Ecclésiaste 3, 19 ; voir aussi Genèse 27, 20 ; mais voir aussi Exode 3, 18.

l'histoire ; le contrôle de l'homme sur ses actes n'est jamais aboli par l'intervention divine.

Le « déroulement miraculeux » de l'histoire intègre en lui-même la nature et la morale, tout en affirmant la prééminence de la qualité sur la quantité, de la valeur sur le nombre, de la crainte de l'Éternel sur la peur des hommes

L'histoire se déploie dans le cadre limité de la nature, où l'homme exerce ses prérogatives morales illimitées qui lui ont été conférées par Dieu, architecte minutieux de la nature et source infinie de la morale. L'histoire est donc gouvernée par Dieu et réalisée par l'homme. L'histoire à « direction miraculeuse » est divine par son origine et ses directives, et humaine par son engagement et son achèvement. Elle ne renonce pas à la nature au nom d'une morale abstraite, car s'il en était ainsi cette dernière n'aurait pas de place dans le monde ; elle ne supprime pas la morale au bénéfice de la nature brutale, car s'il en était ainsi cette dernière n'aurait plus de raison d'être ; mais elle élève la nature au degré de la morale ; elle spiritualise la nature et concrétise la morale, elle recrée le miracle, le parachève... Les forces dont l'histoire à « direction miraculeuse » se sert ne contraignent personne, mais libèrent tout homme. Car l'histoire à « direction miraculeuse » n'impose pas la force matérielle dont elle dispose ; mais elle impose par l'esprit, au service duquel elle met sa force matérielle ; elle vainc par la foi en Dieu [1], qui ordonne à l'homme d'agir, non pas pour qu'il se glorifie de sa propre force matérielle, mais pour qu'il proclame que Dieu est « grand, puissant, redoutable [2] », pour qu'il fasse valoir Sa volonté que l'amour et la

1. Voir Jérémie 17, 5.
2. Deutéronome 10, 17.

justice règnent sur la terre[1] ! C'est pourquoi l'histoire à « direction miraculeuse » oppose la qualité à la quantité, la valeur au nombre, la crainte de l'Éternel à la peur des hommes, et affirme la prééminence de la première sur la seconde : « Si l'Éternel vous a préférés, vous a distingués, ce n'est pas que vous soyez plus nombreux que les autres peuples, car vous êtes le moindre de tous ; c'est parce que l'Éternel vous aime... Voilà pourquoi Il vous a sauvés, d'un bras puissant, de la maison de la servitude, de la main de Pharaon, roi d'Égypte. Reconnais donc que l'Éternel, ton Dieu, Lui seul est Dieu, un Dieu véridique, fidèle au pacte de bienveillance, pour ceux qui L'aiment et obéissent à Ses lois... Peut-être diras-tu en ton cœur : ces nations-là sont plus nombreuses que moi... ne les crains point ! Souviens-toi sans cesse de ce que l'Éternel, ton Dieu, a fait à Pharaon et à toute l'Égypte ; de ces signes et de ces prodiges, de cette main puissante et de ce bras étendu par lesquels l'Éternel, ton Dieu, t'a libéré. Ainsi fera-t-Il de tout peuple que tu pourrais craindre[2]. » Ces paroles bibliques inspirent la philosophie de l'histoire d'Israël, à la veille de son installation en Terre promise. Nous y découvrons les fondements de la conception de la « direction miraculeuse » qui régit toute l'histoire d'Israël.

Le principe du « déroulement miraculeux » de l'histoire d'Israël est à l'origine de la philosophie messianique de l'humanité. La foi messianique fait partie intégrante de la conception juive de l'histoire

Cette conception est biblique par son origine et juive par son application ; elle préfigure cependant la philosophie messianique de l'humanité tout entière. Les peuples du

1. Voir Jérémie 9, 22-23.
2. Deutéronome 7, 7-19.

monde se fient encore à leur « volonté de puissance », fondent encore leur politique sur la « direction naturelle » de l'histoire. Ils arriveront pourtant à reconnaître la justesse de la conception juive de la « direction miraculeuse » de l'histoire ; ils y trouveront leur salut. Les peuples qui contestent encore le bien-fondé de cette conception juive, son efficacité, qui détestent et persécutent ce peuple parce qu'il la personnifie, sans fléchir, jusqu'au martyre, ces peuples consentiront, « à la fin des jours », à y adhérer, tout en restant fidèles à leur propre structure nationale. Cette foi messianique fait partie intégrante de la conception juive de l'histoire ; malgré le douloureux jeu d'avancements et de reculs sur la voie qui mène au triomphe de cette conception, les peuples y parviendront et finiront par accepter comme normal et naturel ce qu'ils ont âprement combattu comme « anormal » et étrangement regardé comme « surnaturel » ; ils comprendront le miracle d'Israël et le laisseront devenir miracle de l'humanité ; ils comprendront que le miracle n'est pas un mystère[1]. D'ailleurs, Goethe, l'un des penseurs européens les plus clairvoyants, les avait déjà avertis : *Geheimnisse sind noch keine Wunder !* (« Les mystères ne sont pourtant pas des miracles » !)

1. La fête de la Dédicace, Hanoukkah (voir 1 Maccabées 4, 59 ; 2 Maccabées 10, 1-8 ; JOSÈPHE, *Ant. jud.*, XII, 5, 4) est devenue chez les chrétiens la fête de la Nativité. Le christianisme a transformé le miracle de la libération par Dieu, miracle actif, historique, « conquis » par les hommes croyants en Dieu, en un mystère de la naissance, impénétrable, supraraisonnable, incompréhensible, christologique, le mystère de Noël, prévu par des mages (voir Jean 10, 22).

Hanoukkah et Pessah illustrent de manière exemplaire la finalité morale du miracle. Ces deux fêtes célèbrent le triomphe de l'esprit sur la force ; de l'esprit qui ne se détache pas de la matière mais l'ennoblit

Hanoukkah, la fête qui évoque la victoire remportée en Terre sainte au IIe siècle avant l'ère actuelle par les Maccabées sur les Gréco-Syriens constitue aussi bien un rappel de l'enseignement juif du miracle qu'un appel à la foi juive dans le miracle.

La *menorah* illumine paisiblement l'intérieur du foyer juif et, selon la Tradition juive[1], « du seuil de la porte » où elle est placée, elle rayonne vers le monde extérieur non juif. Hanoukkah évoque un miracle, celui du calice juif, qui s'est accompli en « se revêtant des propriétés de la nature[2] » *(hitlabchout hatéva)*, et non pas par une « transformation des lois de la nature » *(chinoui hatéva)*. La première forme du miracle est bien supérieure à la seconde (selon l'interprétation hassidico-rationnelle de *Habad*) ; en effet, elle fait voir de plus près le sens du miracle : la rencontre et l'accord entre la nature et la morale, la nature placée au service de la morale[3]. Le but du miracle est moral ; il est atteint par une voie à la fois religieuse et naturelle : l'huile qui a servi de moyen était bien un élément naturel mais en très petite

---

1. Voir *TB Chabbat* 21b, 22a.

2. Voir *TB Chabbat* 21b ; *naassé bo nés*, le miracle de Hanoukkah s'est accompli dans un élément naturel, déjà existant : voir BET YOSSEF, *Tour Orah Hayyim*, 670, 1.

3. À travers un miracle tangible, naturel (l'huile du calice), ou un acte humain compréhensible (Esther intervient auprès d'Ahasvérus en faveur de son peuple), Dieu révèle, d'une manière sensible et appropriée, le but qu'Il poursuit. Il aurait pu tout aussi facilement atteindre cet objectif sans l'intervention d'un acte naturel, raisonnable ; Il préfère pourtant la première voie à la seconde. (Voir RAMBAN, *Nb.* 13, 2 ; R. YOSSEF YEHOUDAH LEIB BLOCH, *Chirourei Daat* [Tel-Aviv, New York, 5709], p. 83 ; YEHEZKEEL KAUFMAN, *Toldot HaEmouna HaYisraélit*, VIII [Tel-Aviv, 5716], p. 445.)

quantité ; « les peu nombreux ont la victoire sur les plus nombreux », c'est extraordinaire, mais toujours possible !

Le miracle divin présuppose la réceptivité humaine. Pour que Dieu accorde le miracle, l'homme doit d'abord le mériter, par sa conduite morale religieuse

Le miracle est un bienfait, une grâce, mais il n'est pas complètement immérité [1], surtout, il présuppose de la part de ceux à qui il sera dispensé une réceptivité active [2]. On acquiert le miracle, car il a été demandé, exigé même par les hommes, par les hommes croyants [3] ; une fois perçu, il appelle les hommes, tous les hommes, à agir avec ardeur et audace ; il commande même l'héroïsme [4] : le mot *nés* apparaît pour la première fois dans la Bible à la fin du récit du combat qu'Israël a mené contre Amaleq. Israël remporta la victoire sur son adversaire acharné à le détruire moralement et physiquement, et « Moïse bâtit un autel, et le nomma : *HaChem nisi*, l'Éternel mon étendard [5] ». Mais cette victoire ne fut obtenue que par le mérite conjugué de la prière de Moïse et de l'action de Josué : Moïse pria Dieu et Josué et ses hommes luttèrent contre Amaleq. Plus tard, Matityahou réclame le miracle, et Yehouda ha-Maccabi et ses compagnons l'obtiennent ; ces derniers se jettent dans le combat contre les Gréco-Syriens pour libérer leur peuple de l'oppression spirituelle et matérielle, comme jadis Na<u>h</u>chon

---

1. Voir *Sifra VaYikra*, 22, 32 ; R. Lévi Yitshak de Berditchev, *Bereichit* 24, 16-20.
2. À la quête amoureuse humaine, « d'en bas », répond la quête amoureuse divine, « d'en haut ». C'est le principe mystique qui préside aux relations entre Dieu et l'homme. Voir Exode 2, 23-25.
3. Voir Exode 2, 23 ; 3, 7.9. *Exode R.* 38, 4. Voir *Tossafot*, *Babba metsia* 106a.
4. Voir Rambam, *Nb.* 13, 2.
5. Exode 17, 15.

ben Aminadav s'était jeté à l'eau pour frayer un chemin dans la mer au peuple délivré de l'esclavage et désireux de servir son Dieu [1]. D'abord, l'homme doit oser [2] ; alors il sera

---

1. Voir *Mekhilta*, *Bechalah* 14, 22. *TB Sotah* 36b-37a.

2. Le miracle se situe à la jonction de deux initiatives, celle qui monte « d'en bas » et celle qui descend « d'en haut ». Voici dans quelles conditions eut lieu le premier grand miracle en présence de tout Israël. Les enfants d'Israël, libérés de l'esclavage dans lequel les Égyptiens les avaient tenus, arrivèrent au bord de la mer. Ce fut un moment effrayant : devant eux le fracas des vagues prêtes à les engloutir, derrière eux la clameur de l'armée de Pharaon lancée à leur poursuite. Ces moments sont poignants : « Et comme Pharaon approchait, les enfants d'Israël levèrent les yeux, et voici, les Égyptiens marchaient après eux. Alors les enfants d'Israël eurent une très grande peur et crièrent vers l'Éternel. Et ils dirent à Moïse : Qu'est-ce que tu nous as fait, de nous faire sortir d'Égypte ? » (Exode 14, 10.11). Que faire ? Le peuple se divise en différents groupes : désespérés, défaitistes et résistants s'affrontent (voir *TJ Taanit* II, 5). Mais Moïse fait appel à leur foi en Dieu et s'adresse à eux en ces termes : « Ne craignez point ; tenez-vous là, et voyez la délivrance de l'Éternel, qu'Il vous accordera aujourd'hui... L'Éternel combattra pour vous, et vous, vous resterez tranquilles ! » (Exode 14, 13.14). La foi qu'il tâche d'inspirer aux Israélites est profonde, mais elle est statique : elle incite l'homme en danger à rester là où il est, et à attendre, passif, le salut qui viendra de Dieu et qui, seul, agira. (Moïse s'en tient à sa condition d'envoyé de Dieu : il ne prend pas d'initiative !) Mais, quelle est la réaction de Dieu devant cette attitude d'expectative ? Elle est immédiate et vigoureuse : « Et l'Éternel dit à Moïse : Pourquoi cries-tu vers Moi ? Parle aux enfants d'Israël, et qu'ils marchent. Et toi, élève ta verge, et étends ta main sur la mer, et fends-la ; et que les enfants d'Israël entrent au milieu de la mer, à sec ! » (Exode 14, 15.16 ; voir *Néphech HaHayyim*, I, 9). Cela veut dire : « Pour avoir Mon aide, il faut que vous, Israélites, agissiez, que vous *marchiez*, et que toi-même, Moïse, *tu étendes ta main*, pour qu'ensuite le miracle se produise ! » De même, à Hanoukkah, pour que le miracle du calice d'huile ait lieu, il a fallu chercher la fiole dans le Temple ; ce n'est qu'après qu'on la trouva (*TB Chabbat* 21b : badkou *velo matsou éla pakh éhad chel chémen...*). Le miracle se situe à la jonction de deux initiatives, celle qui monte « d'en bas » *(itarouta diltata)* et celle qui descend « d'en haut » *(itarouta dileila)* ; les deux prennent leur départ simultanément. Le miracle est une grâce de Dieu et une conquête, plus encore qu'une acquisition, de l'homme. (La *mitsvah* de Hanoukkah, qui incombe au Juif, trouve son expression dans « l'action de l'allumage »

digne de devenir un *baal hanès*, un « maître du miracle [1] »... Le miracle divin est donc précédé par l'action de l'homme qui en reconnaît la nécessité, et suivi de l'action de l'homme qui en reconnaît la signification.

Le miracle appelle l'homme à conduire son action à la victoire, mais il n'en reste pas là. Car l'homme poursuit sans cesse son action, et la transforme en un miracle humain continu. La victoire n'annonce pas le triomphe d'une force sur une autre, elle n'aboutit pas au culte de la force [2], mais elle « fait connaître le miracle [3] », c'est-à-dire le triomphe de l'esprit. Cet esprit ne se détache pas de la matière, ne la méprise ni ne l'évince, mais s'en sert pour montrer que la force du plus fort parmi les hommes s'évanouit devant la Puissance de Dieu [4], de Celui qui crée, dispose de la nature, dirige l'histoire, propose et commande. « Ni par la puissance, ni par la force, mais bien par Mon esprit, dit l'Éter-

---

[des bougies de H̲anoukkah] qu'il « effectue » lui-même : *hadlaka ossa mitsva*, *TB Chabbat* 22b, voir *Sefat Emet*, I, p. 197, 200, 201, 203, 207.) Moïse l'aura appris après cette grande expérience ; car le récit biblique du passage de la mer Rouge se termine par la relation d'un autre miracle : pour la réalisation de celui-ci, Moïse ordonne d'abord l'action, la lutte, la « conquête » humaine, et seulement après il implore la grâce divine, *yadav émouna* : ses *mains* se joignent à la *foi* (Exode 17, 8.13 ; voir *Michnah Roch ha-chanah*, III, 8. *TB Roch ha-chanah* 29a).

1. Voir *TB Niddah* 31a.

2. Voir Deutéronome 8, 17.18 ; 32, 27 ; Psaumes 118, 16 ; Jérémie 9, 22. *Méchékh H̲okhma*, p. 50.

3. « Faire connaître le miracle » signifie annoncer le triomphe de l'esprit. Voir *TB Chabbat* 23b ; *Pesah̲im* 116a-119a ; *Roch ha-chanah* 18b ; *Megillah* 3b, 14a, 18a ; *Berakhot* 54a-b ; *Sanhédrin* 92b, 94a ; *Arakhin* 11a. *Exode R.* 23 ; *Nb. R.* 19. *Tanh̲ouma*, *Bechalah̲* 10 ; mais voir *Choh̲eir Tov* 10. *Zohar* I, 173b ; II, 41a, 174a. *Zohar H̲adache* 11b. RAMBAM, *Hilkhot H̲anoukkah*, IV, 12. R. YOSSEF KARO, *Choulh̲an Aroukh*, *Orah̲ H̲ayyim*, 218, 1-4 ; 690, 8. *Michnah Beroura*, *ibid.*, 26. RAMBAM, *Exode* 12 ; *Nb.* 20, 1. Isaïe 24, 14 ; Psaumes 9, 2 ; 21, 12-14 ; 26, 7 ; 71, 17 ; 75, 2 ; 89, 2 ; 106, 7 ; 145, 5. *Sefat Emet*, I, p. 118, 213, 218, 228, 245. *HaTekoufa HaGuedola*, p. 389.

4. Voir Déutéronome 32, 27.

nel, Dieu des armées[1] ! » Les Juifs récitent *Chabbat-Hanoukkah*, ces paroles du prophète Zacharie qui expriment le désir des héros : consacrer une ode à l'Esprit de Dieu qui Se révèle dans cette lutte à but moral, comme « un Dieu des armées[2] ». C'est à Lui que le MaCaBI dédie sa victoire. C'est Lui que le Maccabée célèbre par les paroles du cantique de l'Exode : *mi camokha baelim HaChem* (« qui T'égale parmi les forts, Éternel ? »), cantique dont les lettres initiales forment et justifient son nom de MaCaBI. La victoire que les Maccabées obtinrent sur Antiochus IV Épiphane, ils la dédièrent à Dieu « qui S'y est fait un Nom grand et saint dans ce monde » ; ils la firent resplendir en l'honneur de Dieu, de même que Moïse et les enfants d'Israël qui jadis remportèrent la victoire sur Pharaon, l'offrirent au « Maître des batailles », car c'est pour Lui rendre hommage que « Moïse et les enfants d'Israël chantèrent un hymne à l'Éternel en disant : "je chanterai à l'Éternel, Il est souverainement grand"[3] » ! Les Juifs firent valoir à l'époque des Asmonéens, comme les Israélites à l'époque de Moïse, le principe de la « direction miraculeuse » de l'histoire et témoignèrent de leur croyance profonde en elle ; ils opposèrent résolument ce principe, le leur, au principe de la « direction naturelle » de l'histoire que les autres peuples cultivaient. En effet, le miracle de Hanoukkah, exprimé symboliquement par la lecture des Prophètes au jour du Sabbat-Hanoukkah : « Ni par la puissance, ni par la force, mais bien par Mon esprit... » a déjà été symboliquement illustré en ce jour par la lecture du Pentateuque dont le thème-archétype met en évidence l'antagonisme entre la conception matérialiste de l'histoire, du Pharaon, et la conception

1. Zacharie 4, 6.
2. Voir *Mekhilta*, *Exode* 14, 14. *Exode R.* 3, 6. *TB Avodah zarah* 2b.
3. Exode 15. Voir *Méchékh Hokhma*, p. 51.

spiritualiste de l'histoire, de Joseph[1]. Le Pharaon ne peut pas comprendre comment sept vaches chétives et maigres peuvent dévorer sept vaches belles et grasses. Il ne peut pas saisir comment sept épis maigres et flétris engloutissent sept épis pleins et beaux ; et Antiochus non plus ne comprend pas comment les moins nombreux peuvent vaincre les plus nombreux, les moins forts les plus forts[2] !

Le miracle a pour fin, moins de manifester le pouvoir qu'a Dieu de disposer, comme Il le veut, de l'œuvre naturelle qu'Il a créée, que de faire connaître à l'homme la volonté morale de Dieu et de la lui faire accepter. Accepter jour après jour la volonté morale de Dieu, c'est rechercher la finalité divine de l'humanité. La coopération de la nature avec la morale, la concordance entre la nature et la Torah, œuvres du même Dieu, président au déroulement de l'histoire, dans l'acception idéale de ce terme. Nature et Torah conduisent à son aboutissement eschatologique. Cette finalité messianique sera atteinte lorsque « tous les habitants du monde » — représentés par celui qui en est la « quintessence » et le seul responsable : l'homme — reconnaîtront le Règne de Dieu et respecteront Son enseignement

L'histoire de Hanoukkah se résume et se « renouvelle » dans le récit sur le miracle lumineux qu'elle a pris comme pivot.

Le mot « Hanoukkah » implique « éducation » et « renouveau ». L'histoire de Hanoukkah nous « éduque » par son enseignement sur le miracle d'Israël ; elle nous montre chaque fois « à nouveau » que l'histoire d'Israël est un perpétuel

1. Voir Genèse 41.
2. Voir 1 Maccabées 3, 17-20.

recommencement et un renouvellement constant du miracle maccabéen, sans en être une simple « répétition » : « Nous rendons grâces — à Dieu — pour les miracles qu'Il a faits en notre faveur, pour la délivrance qu'Il nous a procurée, pour les guerres qu'Il a soutenues pour nous et les victoires qu'Il a données à nos *aïeux*, de *leurs* jours et à *cette* époque[1]. » Désireux de nous faire vivre dans le présent le miracle du passé, l'auteur de cette prière traditionnelle de Hanoukkah nous rappelle les passages similaires de la *Haggadah* de Pessah : « Ce n'est pas seulement nos ancêtres que Dieu a délivrés, mais Il nous a nous-mêmes délivrés avec eux... C'est pourquoi, il est de notre devoir de remercier, de louer, de bénir... Celui qui a accompli tous ces miracles pour *nos pères* et pour *nous-mêmes*[2]... »

L'histoire de Hanoukkah nous enseigne enfin que la lutte qu'Israël mène, des temps anciens jusqu'à présent, n'est pas pour son existence seule, mais, ainsi que son nom Israël l'indique, pour une vie de combat au service de Dieu et de l'homme ; sa signification n'est pas seulement nationale, sa portée est universelle ; à l'instar de l'histoire de l'exode d'Égypte, elle incarne la volonté de libérer de la servitude extérieure, physique, les hommes et les peuples opprimés par la force brutale de tyrans désobéissant aux ordres de Dieu ; elle exalte à la liberté intérieure, morale, des hommes et des peuples, liberté qui a sa source, sa garantie et sa fin en Dieu, « Dieu des esprits de toute chair[3] »...

1. Voir *Massékhet Sofrim*, XX, 6, 8.
2. Voir *TB Pesahim* 117b.
3. Voir Nombres 16, 22 ; 27, 16.

Annexe

Le miracle ne comporte aucun élément magique : voir page 115, note 2

La réalisation d'actes miraculeux revêtant un caractère surnaturel a pour but de combattre la croyance des hommes en des forces magiques surnaturelles, indépendantes de la volonté de Dieu ou même opposées à elle. Les magiciens se considèrent eux-mêmes comme des dieux, affirment pouvoir se servir à leur gré de forces occultes, en forçant la main de Dieu ; les récits bibliques qui font mention d'actes surnaturels dénoncent la présomption de ces magiciens en relatant des exploits, apparemment du même ordre, mais réalisés au Nom de Dieu tout-puissant (voir Yeheskeel Kaufman, *Toldot HaEmouna HaYisréelit*, I-III, Tel-Aviv, 5712 [2 éd.], p. 462 s.). Ainsi Dieu concède à Moïse le pouvoir d'opérer des actes miraculeux, apparemment surnaturels, pour l'accréditer auprès de la foule des Israélites assimilés à la civilisation égyptienne et impressionnés par les hauts faits magiques égyptiens (voir Exode 4, 2.3.30 ; Maïmonide, *Michneh Torah*, *Hilkhot Yessodei HaTorah* V, 2), et pour prouver aux maîtres égyptiens le bien-fondé de sa mission libératrice (Exode 7, 9). Ces procédés ne sont utilisés qu'*in extremis*, pour faire éclater aux yeux des incroyants, superstitieux, la puissance totale de Dieu, Créateur de l'univers. Dieu est maître de toutes les forces de l'univers et les dirige vers leur finalité qui est d'ordre moral (voir Exode 8, 15 ; 9, 14.29 ; 10, 2 ; 14, 4.18). Dieu aurait préféré, au moins en ce qui concerne les Israélites, que de tels procédés ne fussent pas nécessaires, et que pour les enfants d'Israël suffise la simple énonciation de Son Nom (voir *Exode R.* 3). Le Nom par lequel Dieu propose Sa collaboration à l'homme regarde l'avenir ; il contient la dimension morale, historique, messianique du temps. Lorsque Dieu Se révéla à Moïse en lui parlant face à face, Il insista sur ce futur qui caractérise Son Nom dans Ses rapports avec les hommes : *Ehyé acher Ehyé* (« Je Serai Celui qui sera », et non pas, ainsi qu'on traduit généralement : « Je suis Celui qui est » !) ; dans le Nom divin que Moïse communique aux Israélites *(Ehyé)* est inscrit l'avenir de leurs rapports avec le Dieu de leurs pères. Un avenir qui se forme à la lumière des expériences passées. C'est un Nom qui dirige leur pensée vers un avenir meilleur et leur indique le chemin à suivre pour l'atteindre sous la conduite divine (Exode 3, 13.14) : « Tu diras aux enfants d'Israël : "Je serai" m'a envoyé vers vous ! » Moïse n'est que l'envoyé de Dieu. Les miracles qu'il opère, loin de témoigner d'un quelconque caractère divin de sa personne, ne révèlent que la force de Dieu ; leur rôle est de susciter, non la foi en Moïse, mais la crainte de l'Éternel qui les commande et réalise. Selon l'Évangile, Jésus, en traitant des miracles, dit, lui aussi, qu'« il fait les œuvres de son Père » (Jean 10, 37), « pour que le peuple qui est autour de lui croie qu'Il l'a envoyé » (Jean 11, 42) ; mais il prétend encore que « ces œuvres rendent témoignage de lui-même », qu'il est le Christ, le Messie, le Fils de Dieu (Jean 10, 22-25.36-37), car, dit-il : « Moi et mon Père, nous ne sommes qu'un » (Jean 10, 30) : « Le Père est en moi et je suis en lui » (Jean 10, 38), et « tout ce que le Père fait, le fils le fait pareillement » (Jean 5, 19), lui « étant l'homme qui se fait dieu » (Jean 10, 33) ; il s'ensuit que les hommes « crurent en lui » (Jean 11, 45-48). Au-delà de ces actes extraordinaires qui bouleversent les Égyptiens, Moïse reste l'envoyé de Dieu qui veut « qu'on sache que l'Éternel est Dieu » ; il disparaît derrière les actes extraordinaires annoncés ou déjà réalisés ; il disparaîtra aussi totalement après sa mort (Deutéronome 34, 6), pour que son tombeau même ne devienne pas un lieu de culte. Et sa mort fut une punition pour n'avoir pas rappelé au peuple d'Israël que c'était Dieu, l'auteur du miracle « des eaux jaillies du rocher », et que Moïse n'en était que l'exécutant ; c'est Dieu qu'il faut « sanctifier pour cela, devant les enfants d'Israël » (Nombres 20, 12). Moïse fut puni pour avoir laissé croire, par négligence, que lui et Aaron avaient quelque mérite à la réalisation du prodige (Nahmanide, *Nb.* 20, 1-7 ; voir *Gen. R.* 50, 13). Les miracles sont là pour faire croire en Dieu, et uniquement en Lui. « Ainsi Israël vit la grande puissance que l'Éternel avait déployée contre les Égyptiens ; et le peuple craignit l'Éternel, et ils crurent en l'Éternel et en Moïse, Son serviteur », *parce qu'il est Son serviteur* (Exode 14, 31 ; voir *Déguel Mahané Ephraïm* ; R. J. M. Harlap, *Mei Meirom* [Jérusalem, 5717], V, p. 148 ; voir aussi Exode 15, 1 et *Mekhilta*, *ad loc.*). Moïse ne doit être respecté que parce qu'il a été un fidèle serviteur de Dieu, qu'il a craint Dieu et « n'a fait que ce que Celui-ci lui avait ordonné » (voir Ibn Ezra, *Exode* 14, 31). Seuls des pécheurs, des insensés, tels que ceux qui ont fait le veau d'or, ont pu affirmer : « Moïse, cet homme qui nous a fait monter du pays d'Égypte... » (Exode 32, 1), et lui attribuer ainsi le miracle de la sortie du pays de la servitude (voir Ramban, *Exode* 32, 1). Les croyants, les Juifs, qui évoquent au cours du Séder (repas pascal) la libération de l'esclavage égyptien, affirment sans ambiguïté que « Dieu les a fait sortir d'Égypte » (Deutéronome 26, 8), « Lui, non un ange, non un envoyé, mais Lui personnellement... » (*TJ Sanhédrin* II, 1 ; voir *Zohar* II, 49a ; R. Yossef Dov Ber HaLévi, *Beit Halévi* (Varsovie, 5644), p. 35 ; mais voir aussi Yalkout Shimeoni, *Bechalah* 17, 165). Dans la *Haggadah*, le récit que les Israélites lisent au Séder, le nom de Moïse, principal acteur humain de l'événement commémoré, n'apparaît qu'incidemment, indirectement, et encore pas dans toutes les versions de la *Haggadah* (voir *Choheir Tov*, 107). Maïmonide, dans son code, *Hilkhot Haméts ouMatsa*, ne l'y inclut pas. Le Juif éprouve de la gratitude envers Moïse, mais se défend de le vénérer ; il n'oublie pas la proclamation divine du Décalogue : « Je suis l'Éternel, ton Dieu [...], tu n'auras point d'autre dieu que Moi » ; il se souvient de l'avertissement divin : « C'est pourtant Moi, l'Éternel, qui fus ton Dieu dès le pays d'Égypte ; tout autre Dieu que Moi devait t'être inconnu, et il n'est pas de libérateur en dehors de Moi » (Osée 13, 4) ; il ne perd pas de vue l'interdiction solennelle d'« associer le Nom de Dieu à une autre chose » (voir *TB Soukkah* 45b) ! La distance qui sépare Dieu de Moïse, de l'« homme plus modeste qu'aucun autre sur la terre » (Nombres 12, 3), est rigoureusement observée par l'Israélite. Oui, « Dieu connut Moïse face à face » (Deutéronome 34, 10), mais sur le Sinaï Il parla à tous les Israélites face à face (Deutéronome 5, 4). Toutefois, personne ne peut voir Sa face (Exode 33, 20 ; voir aussi *TB Berakhot* 7a ; *Exode R.* 3, 2 ; *TB Yevamot* 49b ; *TB Megillah* 19b ; voir *Mekhilta*, *Bechalah* 3, mais voir aussi *Mekhilta*, *Exode* 15, 2 ; *Tanhouma* [Buber], *Yitro* 17). Moïse « craint de regarder vers Dieu » (Exode 3, 6) et accepte humblement sa condition humaine ; il se reconnaît incapable de contempler « la gloire de Dieu » (Exode 33, 18), même s'il le voulait, car il sait qu'il n'est « rien » de plus qu'un homme (voir Exode 16, 7). Dieu proclame : « Je suis Dieu et non un homme » (Osée 11, 9) ! Moïse n'ose point prétendre que lui et son Dieu ne sont qu'un. Chacun garde sa personnalité distincte tout en communiquant, tout en coopérant : Dieu « marche » avec l'homme, l'homme « s'attache » à Dieu ; mais Dieu ne se fait pas homme et l'homme ne se fait pas Dieu. Lorsque Moïse se présente devant ceux qui ne le croient qu'en raison des miracles, il se sait un simple envoyé de Dieu, rien de plus : « Et Moïse dit : À ceci, vous connaîtrez que l'Éternel m'a envoyé pour faire toutes ces choses et que je n'ai rien fait de moi-même... » (Nombres 16, 28) ; l'initiative de ses actes, des actes de l'envoyé de Dieu, appartient intégralement à Dieu, tandis que celle des hommes ordinaires n'appartient qu'à eux-mêmes ! Le messager de Dieu, le prophète, ne prend pas d'initiatives (pourtant, voir *TB Chabbat* 87a, *Deut. R.* 5, 13), mais il est contraint d'accomplir la mission dont il est chargé pour la gloire de Dieu, qui veut le bien des hommes. Le prophète est envoyé aux hommes pour leur faire connaître Dieu et susciter leur foi en Lui, et en Lui seul. On n'a pas cru en Moïse à cause des prodiges qu'il avait faits (voir Deutéronome 34, 11.12), écrit un autre grand Moïse, Moïse ben Maïmon (Maïmonide, *Michneh Torah*, *Hilkhot Yessodei HaTorah* VIII, 1), car « celui qui croit dans les prodiges peut se dire que ceux-ci sont réalisés par la magie ». Aucun miracle, écrit-il, ne peut confirmer le caractère divin, ou simplement prophétique de l'envoyé de Dieu, car, souligne-t-il avec force, « la raison qui infirmerait son témoignage aurait plus d'autorité que l'œil qui verrait des prodiges » (Maïmonide, Introduction au traité *Zeraïm* ; voir aussi *Guide des égarés*, III, 24 ; *Michneh Torah*, *Hilkhot Melakhim* XI, 3 ; mais aussi le *Maamar Tehiyat haMeitim* ; voir aussi Rav Sa'adia Gaon, *HaEmounot veHaDéot*, *Hakdama*, III ; voir Ibn Ezra, *Nb.* 22, 28 ; Nahmanide, *Deut.* 13, 2 ; 18, 9 ; *Malbim*, *Deut.* 34 ; Le Maharal ; *Guevourot HaChem* [Tel-Aviv, 1955], *Hakdama* II ; XXXVI, p. 82 ; R. A. Y. Hacohen Kouk, *Olat Re'iya* [Jérusalem, 1949], II, p. 82).

LIBÉRATIONS ET LIBERTÉ

Valorisation éthique des libérations et élévation religieuse vers la liberté Considérations sur la fête de Pessah

Dans l'année israélite, deux soirs entre tous, revêtus de lumière et de majesté, émeuvent le cœur des Juifs et frappent le regard des non-Juifs : le soir de Kol Nidré, soir de Yom HaKippourim, et le soir du Séder, soir de Pessah. Le premier est auguste, le second paisible. Le premier répand son éclat à la synagogue, le second déploie sa magnificence à la maison. En effet, dès son origine le soir du Séder est destiné à préserver l'originalité du foyer israélite, la particularité du foyer juif, et à assurer son salut, ainsi que le fait comprendre le verset biblique en relation avec l'exode des Israélites du pays d'Égypte : « C'est le sacrifice de la Pâque en l'honneur de l'Éternel ; Il *épargna les demeures* des Israélites en Égypte [1]. »

En effet, tandis que le soir de Kol Nidré vise la personne de l'Israélite, le soir du Séder vise, à travers la famille, le peuple d'Israël dans son intégralité. Pourtant, au soir du Séder comme au soir de Kol Nidré, l'Israélite descend au plus profond de son être, cet être qui s'appartient à lui-même et à Israël tout entier — cet être qui aspire à Dieu,

1. Voir Exode 12, 27.

qui tend vers Dieu, tout en se sachant incapable de s'approcher de Dieu sans l'aide de l'« échelle » qu'est le peuple d'Israël, le peuple de Dieu. Cet être juif sait que sa tâche est de servir Dieu, de contribuer à instaurer Son Règne ici-bas, parmi les hommes. Il sait aussi qu'il ne peut accomplir cette tâche seul, et qu'il doit donc demeurer intégré à l'Israël d'aujourd'hui, à l'Israël d'hier et de demain, à l'Israël éternel. Cet être juif apprend ainsi que, bien qu'il s'appartienne à lui-même et fasse partie intégrante de la communauté d'Israël, il est à Dieu, le seul Être véritable.

Ces deux soirs de Kol Nidré et du Séder se complètent pour mieux nous révéler l'âme juive, nous éclairer sur la conscience juive. Celle-ci est une et unique, même si elle comprend un double aspect : personnel parce que humain, communautaire parce que juif. C'est pourquoi la Tradition juive parle de deux Roch ha-chanah, de deux célébrations du nouvel an juif : celui du mois de Tichri, mois de la naissance de l'homme et du commencement de sa marche vers Dieu, son Créateur, dont le soir de Kol Nidré marque l'apogée, et celui du mois de Nissan, mois de la naissance du peuple d'Israël et de son attachement à Dieu, Maître de son histoire, dont le soir du Séder rappelle la grandeur [1].

1. Voir *Michnah Roch Ha-chanah* I, 1 ; *Mekhilta*, *Bo*, XV. *TB Roch Ha-chanah* 2a, 10b, 11a. *Zohar* II, 120a. *Tiqqouné HaZohar* 21 (57a), 35 (77b). *Tanhouma*, *Bo*, 9.

Pessah commémore la libération des Israélites de l'esclavage égyptien ; par sa nature et sa vocation cette fête célèbre la liberté. Qu'est-ce que la liberté ? Toujours l'homme a désiré, recherché la liberté ; chaque époque a ses problèmes spécifiques, et dans chacune d'elles les hommes et les sociétés s'efforcent de forger des libérations, qu'ils appellent à tort des libertés

Le soir du Séder est appelé dans la Torah *leil chimourim*, nuit prédestinée par l'Éternel à être une « nuit qui garde », conserve, perpétue l'entité nationale religieuse d'Israël, du peuple de Dieu. *Leil chimourim* est la « nuit prédestinée par l'Éternel pour la sortie [des enfants d'Israël] du pays d'Égypte, c'est la nuit instituée par le Seigneur, comme prédestinée à toutes les générations des enfants d'Israël [1] ». Cette nuit institue donc une fête qui commémore la libération de nos ancêtres de l'esclavage égyptien, et qui, par sa nature et sa vocation, célèbre la liberté.

Mais quelle est cette liberté que cette célébration annuelle nous engage à rechercher et à préserver ?

Qu'est-ce que la liberté ? Depuis le moment où l'homme fut devenu conscient de son pouvoir et des limites de celui-ci, cette question n'a cessé de le préoccuper mais il n'a jamais pu lui donner de réponse définitive. Toujours, l'homme a voulu, a recherché la liberté ; et, à maintes reprises, il a réussi à se libérer de certaines contraintes extérieures. En effet, il s'est libéré de la contrainte de la nature, mais pour subir celle de la société ou de l'État ; indépendant par rapport à la nature et parfois à l'ordre de la société, il devint prisonnier de la machine, de la technique qui remplace la nature et donne de nouvelles formes à la société. Chaque époque a ses problèmes spécifiques ; et dans cha-

1. Exode 12, 42. *Mekhilta*, *Bo*, XV. R. YEHOUDAH ARIÉ LEIB DE GOUR, *Sefat Emet*, 5 vol. (Jérusalem, 5731), III, p. 86. R. CHEMOUËL DE SOHATCHOV, *Shem MiShemouël* (Jérusalem, 5734), *VaYikra*, p. 193.

que époque l'homme et la société s'efforcent de leur apporter des solutions, de forger des sortes de libérations. Toutefois, malgré certaines victoires sur la violence, l'homme se découvre plus asservi que jamais à ses propres instincts qui l'abaissent. Ainsi, chaque fois qu'il s'est affranchi d'une contrainte extérieure, l'homme n'a obtenu qu'une libération, et non ce qu'il appelle hâtivement, naïvement : liberté ; en fait la possession de la liberté lui a toujours échappé. « On n'est jamais plus esclave — disait Goethe — que quand on se croit libre... »

Les libérations que l'homme appelle à tort libertés varient elles-mêmes dans leur portée et leur valeur, en fonction des conditions sociales et des circonstances historiques où elles se produisent. À chaque époque, l'homme a exalté et vanté la liberté ; pourtant celle-ci, même en tant que libération, n'a jamais été définitivement acquise. En fait, l'homme et la société ne se sont libérés que pour s'assujettir à nouveau à des tyrannies, individuelles ou étatiques, qui les privaient de leurs « libertés », physique, matérielle, économique, politique et surtout morale.

Peut-on définir la liberté ?

Devrait-on alors, à la suite de Locke (1632-1704), définir la liberté comme le sentiment intime de notre « puissance », comme le pouvoir qu'a l'homme d'agir comme bon lui semble ? Mais n'est-il pas obligé de tenir compte du fait qu'autrui possède la même puissance, sa liberté à lui ? La liberté est-elle alors, comme le prétendait à un moment Voltaire, « le pouvoir de faire ce qu'on veut [1] » ? La liberté permettrait-elle ainsi, comme le dit Stendhal (1783-1842),

---

1. VOLTAIRE (1694-1778) admet que « la liberté consiste à ne dépendre que des lois » (*Pensées sur le gouvernement*, VII). Mais quelles sont ces libertés ? De qui proviennent-elles ? Quel en est le sens ?

d'empêcher notre voisin de faire ce qui nous déplaît ? On arriverait à une situation, comme l'a fait remarquer Courteline (1858-1929), où la vie ne serait plus tenable ! Est-on alors conduit à adopter l'idée de Jean-Jacques Rousseau (1712-1778) qui voyait dans la liberté « la faculté de faire ce qui ne porte pas atteinte au droit d'autrui [1] » ? Cette belle idée, que la Révolution française emprunta au citoyen de Genève, n'a toutefois pas conduit les hommes et les peuples à la liberté, pas même à de véritables libérations. L'homme demeure donc toujours, comme l'avait compris l'auteur du *Contrat social*, « libre, et partout dans les fers... ».

Que faire alors ? Aspirer à une liberté métaphysique de l'au-delà, en dédaignant la liberté physique, matérielle, économique, civile, et attendre, résignés, comme le font les bouddhistes, le *nirvana*, l'« extinction », le néant ; ou attendre la venue du Royaume des Cieux en nous « libérant » de la contrainte de la Loi, comme le prône Paul, c'est-à-dire du devoir de la pratique religieuse, du respect des commandements religieux duquel dépendent notre équilibre intérieur, notre intégrité morale ?

Les libertés furent pour la plupart des libérations « historiques », et ne sont pas synonymes de liberté

Lorsqu'on étudie l'histoire de l'humanité, une triste constatation s'impose : l'humanité n'a jamais connu la liberté, la vraie liberté. Les hommes et les peuples, les individus et les sociétés recherchent des libertés partielles, sous la pression des besoins du moment ; ils estiment la liberté, les libertés à l'aune de leurs intérêts immédiats. La liberté, les libertés furent donc pour la plupart « historiques ». Or, l'histoire change, et avec elle les libertés, la conception

1. Déclaration de 1789, art. IV : « La liberté consiste à pouvoir faire tout ce qui ne nuit pas à autrui. »

même de la liberté. Il est vrai que l'homme, qui tente toujours de se libérer des contraintes extérieures individuelles ou communautaires, remporte parfois des victoires de libération. Pourtant, il n'est pas parvenu à construire solidement sa liberté. Pourquoi ? Parce qu'il sait surtout, et encore de façon relative et subjective, ce qu'il ne veut pas, mais il ne sait pas encore clairement ce qu'il veut. En d'autres termes, il ne se préoccupe pas de savoir ce qu'est vraiment la liberté. C'est à tort qu'il appelle ses libérations « liberté » ! Cependant, l'homme dans son essence, dans son être profond, comme dans sa dimension sociale et historique, dans son infinitude et sa finitude qui s'interpénètrent, cache un désir insoupçonné de vraie liberté. À cette quête de vraie liberté répond l'enseignement de Pessah.

L'idéal de la liberté que nous transmet Pessah : rassembler puis élever les libérations de différentes contraintes, intérieures et extérieures, vers l'unique liberté, vraie et éternelle ; la liberté fondée en Dieu, principe et source de la liberté. C'est une liberté qui n'est pas une liberté en *elle-même mais une liberté* pour *quelque chose, poursuivant un but éthique*

Voilà la conception ou plutôt l'idéal de liberté que nous transmet Pessah. Toutes les libérations immédiates, matérielles et morales, que l'homme recherche dans sa vie quotidienne, selon le désir de Dieu Lui-même, demandent à être rassemblées puis élevées vers l'unique liberté, vraie et éternelle.

Cette liberté unique et unitaire trouve son origine et sa garantie en Dieu, principe et source de la liberté. C'est vers Lui que l'homme fait monter sa liberté, somme des libérations spiritualisées, alimentées par la liberté divine. Mais cette liberté à laquelle l'homme tend n'est pas une liberté *en* elle-même, ayant sa fin en soi, mais une liberté *pour* quelque chose, pour quelqu'un, poursuivant un but éthique : faire du bien à autrui [1]...

Le rituel de Pessah reflète ce processus intérieur de la liberté. Les quatre coupes de vin que le Juif boit au Séder rappellent, selon l'explication de nos sages, les quatre verbes que Dieu emploie pour annoncer à Moïse la libération des Israélites de la servitude et leur exode d'Égypte : « Dis aux enfants d'Israël : Je suis l'Éternel, Je vous ferai *sortir* des servitudes d'Égypte, Je vous *délivrerai* de leur esclavage et je vous *affranchirai* avec un bras étendu [...] et je vous *prendrai* pour Moi comme peuple et deviendrai votre Dieu et vous reconnaîtrez que Moi, l'Éternel, Je suis votre Dieu, Moi qui vous aurai fait sortir des servitudes de l'Égypte [2]... » Ces diverses libérations — physique, sociale, politique — conduisent l'homme, le peuple, à la liberté, à la vraie liberté, car Dieu les accueille et eux se reconnaissent en Lui. L'homme, le peuple ont ainsi trouvé leur liberté, et celle-ci est en Dieu. Mais une liberté fondée en Dieu, Dieu de tous, Dieu qui veut le bien de tous, a nécessairement une finalité morale. Les libérations *de* quelque chose, *de* quelqu'un ont un caractère avant tout égoïste ; la liberté, qui a pour vocation d'être *pour* quelque chose, *pour* quelqu'un, est altruiste. Elle a, en outre, le mérite de donner une valeur éthique aux libérations préliminaires.

---

1. « "Qui vous a fait sortir du pays d'Égypte." C'est dans cette intention que Je vous ai délivrés, pour que vous vous soumettiez à Mes décrets » (RACHI, *Nb.* 15, 41).

2. Exode 6, 6. *TJ Pesahim* X, 1 ; *TB Pesahim* 116b. Voir *Shem Mi-Shemouël*, *Haggadah Chel Pessah* (Jérusalem, 5725), p. 34.

De la servitude des passions, la pire des servitudes, l'homme ne peut se libérer avec la seule aide de son intelligence, de sa « raison », qui souvent le trahit et le trompe dans sa recherche d'une fin éthique. Le service de Dieu peut seul donner à l'homme une liberté objective

Il n'y a donc de liberté, réalisable, durable, qu'en Dieu [1]. Sans elle, l'homme qui se croit libéré est susceptible de redevenir esclave d'autrui ou, pire encore, esclave de lui-même, de ses passions déchaînées, de ses appétits insatiables. Cette dernière forme d'esclavage est considérée par Rabbi Yehoudah HaLévi, par Spinoza [2], comme la pire des servitudes dans laquelle l'être humain puisse tomber. Cette servitude des passions est si funeste, cet obscurcissement de la raison si grave, que le « pécheur [3] » ne peut se relever avec la seule aide de sa raison « guérie [4] ». La raison de l'homme qui, selon Kant, peut seule guider la vie morale de l'individu et faire de lui un homme libre, se révèle, très souvent, incapable de remplir la tâche que le philosophe de la « raison

1. LEIBNIZ (1646-1716) : « Dieu seul est parfaitement libre, et les esprits créés ne sont qu'à mesure qu'ils sont au-dessus des passions » (*Nouveaux essais*, livre II, chap. XXI. Voir André LALANDE, *Vocabulaire technique et critique de la philosophie*, Paris, 1962, p. 562. Auguste COMTE (1798-1857) : « Notre meilleure liberté consiste à faire autant que possible prévaloir les bons penchants sur les mauvais » (*Catéchisme positiviste*, 4e entretien). « Celui-là est fort qui sait vaincre ses passions » (*Avot* IV, 1). « L'homme doit toujours exciter le bon penchant contre le mauvais ; si le premier l'emporte, c'est bien... » (*TB Berakhot* 5a) ; voir *Zohar* I, 202a ; III, 113b. Voir *TB Babba batra* 78b. « Les justes dominent leur cœur [leurs tentations] ; les méchants sont dominés par leur cœur [leurs tentations] » (*Gen. R.* 34, 9). « Le cœur et les yeux sont des séducteurs qui entraînent l'homme vers le péché [comme organes de convoitise] » (*TJ Berakhot* I, 5) ; Nombres 15, 39. Voir *TB Sotah* 8a.

2. Baruch SPINOZA (1632-1677). Stoïcisme : fermeté d'âme opposée aux maux de la vie. Voir SEFORNO (1475-1550), *Lev.* 1, 2.

3. Voir *TB Sotah* 3a. *Zohar* I, 121a.

4. Voir Isaïe 6, 10.

pure » et de la « raison pratique » lui a assignée [1]. Cette raison représente, selon le penseur de Königsberg, ce facteur de complète autonomie, de totale souveraineté de l'homme dans le choix de son comportement et dans le jugement qu'il porte sur celui-ci [2]. Or, bien souvent la raison trahit l'homme qui s'en dit si fier, se considérant à la fois comme son auteur et son détenteur... Or, l'homme, n'étant pas sa propre cause, ne peut être son propre juge moral. L'homme est une créature de Dieu. Et le Créateur dit à l'homme, aux Israélites : « Vous êtes Mes serviteurs, et non les serviteurs des serviteurs [3] », ce qui signifie : vous n'êtes pas les serviteurs des autres, auxquels vous pourriez être soumis, et surtout vous n'êtes pas les serviteurs de vous-mêmes, de vos passions qui vous dominent, de votre intelligence qui, influencée par votre concupiscence ou par sa ruse, peut vous tromper sur la fin éthique. Le service de Dieu est seul en mesure d'assurer la liberté objective de l'homme, la liberté pleine, réelle, positive. Cette liberté, répétons-le, n'est pas une quelconque libération négative de la peur d'autrui, et de la peur de soi-même, cette peur que Bertrand Russell considère comme « la source d'où procède tout le mal ». Cette liberté en Dieu et par Dieu signifie

---

1. Emmanuel KANT (1724-1804) est l'auteur de la *Critique de la raison pure*, de la *Critique de la raison pratique*, de la *Critique du jugement* et du *Fondement de la métaphysique des mœurs*.

2. Chez Kant, l'« *Arbitrium liberum* suppose existence de la raison » (*Critique de la raison pure*, A 801 ; B 829). Cependant, selon le philosophe de Königsberg, la loi morale suppose la liberté (mais aussi) l'immortalité et l'existence de Dieu, donc un fond métaphysique d'indétermination absolue. Spinoza a précédé Kant dans l'éloge de la raison en tant que seul facteur d'indépendance. Il écrit : « L'homme libre, c'est-à-dire celui qui vit suivant les seuls conseils de la raison, n'est pas dirigé dans sa conduite par la crainte de la mort, mais il désire directement le bien » ; et le philosophe d'Amsterdam précise : « *Ilum liberum esse dixi, qui sola ducitur ratione* » (*Éthique*, IV, 67, 68 ; voir aussi *De libertate*, livre V).

3. *TB Qiddouchin* 22b ; *Babba metsia* 10a.

davantage même que la sécurité intérieure personnelle et la sécurité extérieure économique, sociale et politique : elle seule permet l'épanouissement plénier de l'être humain en Dieu et dans la satisfaction, ressentie comme nouvelle.

L'homme qui se sait parvenu à une telle liberté, une liberté en Dieu et par Dieu, ressent le besoin d'entonner, chaque fois à nouveau, une *chira hadacha*, un « nouveau chant » de gratitude en l'honneur de Dieu, qui « l'a fait » et qui est son Bienfaiteur ; il entonne ce « chant nouveau » à l'instar du Juif, assis à la table du Séder, le soir de Pessah, le « temps de notre liberté ».

Le Juif vit personnellement l'événement historique de la sortie des Israélites d'Égypte ; il le commémore pendant la fête de Pessah, mais « il se remémore tous les jours ». Il effectue ainsi lui-même, « chaque jour », sa propre « sortie d'Égypte », sa propre délivrance de sa servitude intérieure ; cette sortie, cette délivrance n'est jamais accomplie, elle doit être continuellement recherchée et conquise

Pessah rappelle à celui qui le célèbre que cette solennité ne fait pas que commémorer un événement historique. Elle est aussi une commémoration pour lui personnellement. Elle lui dit : « rappelle-toi le jour de ta sortie d'Égypte » ; pense en toi-même : ce jour est celui de mon salut, que « Dieu fit *pour moi-même* en ce jour lorsque je sortis d'Égypte ». « Considère-toi comme étant sorti toi aussi d'Égypte [1]. » Le Juif d'aujourd'hui doit mériter ce salut accordé autrefois, car sans ce mérite *post factum*, ses ancê-

1. *TB Pesahim* 116b. MAÏMONIDE, *Michneh Torah*, *Hilkhot Hamets OuMatsa* VII, 6.

tres ne l'auraient pas mérité[1] et n'auraient pas été délivrés ; quant à lui, « s'il avait été en Égypte, il n'aurait pas été délivré[2] ». En vivant ce jour lui-même personnellement, il le transmettra, dans toute son authenticité, dans toute sa fraîcheur, à ses enfants, à ses descendants.

À cette exhortation insistante, le récitant de la *Haggadah* répond au soir de Pessah̲, au Séder, par cette déclaration où il reconnaît que « ce n'est pas seulement nos pères que le Saint, loué soit-Il, a délivrés, mais nous aussi, en même temps qu'eux, comme il est dit : "Et nous, Il nous fit sortir de là pour nous mener ici, pour nous donner le pays qu'Il avait promis à nos pères" » (Deutéronome 6, 23). Pessah̲ ne cesse donc d'être Pessah̲, dans son historicité *et* dans son actualité[3].

Le *Pessah̲ mitsraïm*, la « Pâque égyptienne », s'ouvre, ainsi que l'ont souhaité les sages d'Israël, sur un *Pessah̲ dorot*, une « Pâque des générations », une recherche permanente, incessante de la vraie liberté, qui se prolonge dans un *Pessah̲ leatid*, en une « Pâque de l'avenir », en une Pâque messianique[4]. En effet, affirment nos sages : « Au mois de Nissan [le mois où nous célébrons Pessah̲], nos ancêtres ont été sauvés ; au mois de Nissan, Israël sera sauvé[5] ! »

Ainsi, l'homme, l'homme juif, se souviendra chaque jour de l'exode égyptien, comme il le promet par sa lecture de la *Haggadah*, du « récit » de cet exode, le soir du Séder. À son tour, il fait siennes les paroles bibliques « pour que tu te souviennes du jour de la sortie du pays d'Égypte pendant

---

1. Voir *TB Sanhédrin* 19b. *Gen. R.* 63, 2. R. AVRAHAM YITSHAK HAKOHEN KOUK, *Olat Re'yia*, II (Jérusalem, 5709), p. 283.

2. *TJ Pesah̲im* X, 4.

3. *TB Pesah̲im* 116b. Voir R. A. Y. H KOUK, *Olat Re'yia*, II, p. 283.

4. *Michnah Pesah̲im* IX, 5. *Mekhilta*, *Bo* IV, V, XI. *TB Pesah̲im* 96a. RACHI, *Exode* 12, 3.

5. Voir *TB Roch Ha-chanah* 11a.

tous les jours de ta vie[1] ». En s'en souvenant, il effectuera lui-même chaque jour sa propre sortie d'Égypte, de la servitude intérieure, dans laquelle il pourrait se trouver, enseigne Rabbi Israël de Kojnits (XVIIIe s.). En effet, la vie de l'homme, de l'homme juif, devrait constituer une sortie d'Égypte, de sa propre Égypte, constamment renouvelée, un affranchissement intérieur, une libération morale de sa propre servitude. La *Haggadah*, que le Juif récite au soir du Séder, devient ainsi une *hamchakhah*, une « prolongation », une « continuation » selon la définition étymologique que Rabbi Moïse Alcheikh (le Alcheikh Hakadoche, XVIe s.) donne du mot *Haggadah*. Voilà pourquoi les adhérents du mouvement hassidique *Habad* ne récitent pas au soir du Séder le passage de clôture de la *Haggadah*, que voici : « la cérémonie de la Pâque — du Séder — est accomplie. » Au vrai, pour eux, elle n'est pas accomplie, car la liberté en Dieu qu'elle prône doit être continuellement recherchée, conquise, méritée et cultivée...

L'homme qui atteint à la liberté intérieure, fondée sur la liberté divine, affrontera le pharaon, le tyran, avec une dignité inébranlable et sereine, une dignité que personne, aucune humiliation ne pourra lui enlever

L'homme, le Juif parvenu à ce degré de vraie liberté, fondée sur la liberté divine, ne se laissera pas intimider par un nouveau Pharaon, qui chercherait à l'assujettir. Car « Dieu a retiré de ce pays [Égypte] Son peuple Israël pour lui donner une *éternelle liberté* » morale[2]. De la hauteur morale qu'il a atteinte, cet homme, ce Juif, l'affrontera sans peur, dans l'assurance que lui donne sa liberté intérieure, sa dignité que

1. Deutéronome 16, 3.
2. Car « Dieu a retiré de ce pays [Égypte] Son peuple pour lui donner une éternelle liberté », morale, intérieure (en dépit de l'esclavage dans

personne ne peut lui enlever [1]. Il lui fera face avec un certain mépris ; il le plaindra. Livré à la brutalité de son farouche oppresseur, physiquement brisé par la terreur et la torture, le Juif restera indestructible dans son être profond : il se sait revêtu du « bouclier d'Abraham » : sa liberté intérieure, sa dignité intangible [2]. Le tyran cherche à l'humilier ; mais lui, avec pour seule arme son regard, le dédaigne. Pendant la Choah, d'innombrables martyrs juifs ont ainsi fait face à leurs bourreaux, debout, rendus inébranlables par leur foi ardente. C'est en proclamant « Écoute Israël, l'Éternel est notre Dieu, l'Éternel est Un [3] ! » qu'ils sont entrés dans les chambres à gaz, qu'ils sont descendus dans les fosses béantes qu'ils avaient dû creuser pour eux-mêmes.

---

lequel ce peuple se trouve très souvent !). Voir R. TSEVI ELIMÈLEKH DE DINOW, *B'nei Issaskhar* (Israël, s.d.), p. 59b ; R. A. Y. H KOUK, *Olat Re'yia*, II, p. 245. Voir *TB Yevamot* 46a ; *Ketoubbot* 59b.

1. Voir R. YAAKOV BEN ASHER, *Tour Orah Hayyim*, *Hilkhot Pessah* 430. NAHMANIDE, *Exode* 12, 3. Voir R. A. Y. H. KOUK, cité p. 155, n. 3.
2. Voir R. A. Y. H. KOUK, *Olat Re'yia*, II, p. 245.
3. Deutéronome 6, 4.

La liberté de l'homme ne sera jamais parfaite dans ce monde « ici-bas », mais elle est indéfiniment perfectible. Par l'accomplissement des mitsvot, *le Juif peut transformer ce qui est matériel en ce qui* devient *spirituel, et « préparer » ainsi la « sortie d'Égypte d'en haut ». La vie vécue dans le respect de ce qui est « gravé » sur les Tables de la Loi —* ḫarout *—, aidera le Juif à parvenir au* ḫeirout, *à une « liberté » qui le « libère de la mort », qui lui fera vaincre la mort. Pessaḫ, événement primordial de l'histoire d'Israël, événement dont la signification est universelle, annonce l'aboutissement de cette histoire dont la portée est universelle, messianique*

La vraie liberté procède de la liberté de Dieu, donc d'une liberté absolue. Aussi, l'homme qui est composé d'un corps et d'une âme ne pourra pas la posséder totalement, définitivement ici-bas ; dans ce monde, elle ne sera jamais parfaite, mais indéfiniment perfectible. C'est pourquoi, disait Rabbi Yechayahou Horowitz, « la sortie d'Égypte d'en bas — de nature en partie matérielle — doit aboutir à une sortie d'Égypte d'en haut — de nature purement spirituelle ».

« La sortie d'Égypte d'en haut » doit être « préparée » ici-bas[1]. Or, c'est dans ce monde composite, où l'élément matériel prédomine, qu'il incombe au Juif d'accomplir les *mitsvot* de la Torah. L'accomplissement des commandements religieux a pour fin suprême de transformer le matériel en spirituel, de donner à l'objet matériel sa valeur spirituelle et de permettre à l'homme qui les accomplit de parvenir à la liberté. Dieu est l'auteur de la Loi naturelle et l'auteur de la Loi morale, destinée à ennoblir la nature ; Il met à disposition de l'artisan humain un outil sublime, la Torah, et des instruments pratiques, les *mitsvot*. Nos Sages nous l'enseignent ainsi : « Et l'Écriture était écriture de Dieu, elle était gravée sur les tables. Ne lisez pas : *ḫarout*,

1. *Avot* IV, 16.

“gravé”, mais *heirout*, “liberté”, car il n’y a pas de liberté sans l’enseignement de la Torah [1]. »

La vie religieuse du Juif, sa vie de tous les jours, doit être une vie éclairée par les préceptes de la Torah ; elle doit rester, jour après jour, reliée à l’exode d’Égypte dont l’Israélite doit « se souvenir tous les jours de sa vie ». Or, une grande partie des *mitsvot* de la Torah se rattachent au rappel de l’affranchissement des Israélites de la servitude égyptienne [2]. Cet événement est mentionné dans la Bible hébraïque, le *Tanakh*, cent soixante fois, dont cinquante fois dans le Pentateuque, le *Houmache*, les cinq livres de Moïse [3]. Cet événement est considéré non seulement comme événement primordial de l’histoire d’Israël mais comme l’aboutissement de cette histoire dont le caractère est juif, et la portée universelle [4]. Certes, le judaïsme est une religion historique, ancrée dans cet événement qui précède et prépare la révélation de la Loi, du Décalogue ; le judaïsme est une religion historique dans la mesure où sa pratique quotidienne découle du rappel de cet événement historique capital. Par conséquent, Pessah n’est pas seulement la commémoration, même solennelle, d’un événement historique décisif. Pessah est une fête dont l’ordonnance est réglée de manière rigoureuse par des prescriptions rituelles précises, touchant les détails de notre comportement, notamment de la préparation et de la composition des mets de nos repas (partant du principe de l’« écart du levain de nos maisons » — levain gonflé, symbole du « mauvais penchant » « orgueilleux » — et de la consommation de l’« azyme », du pain azyme sans levain, symbole de la simplicité [voir Exode 12], ces sym-

1. Exode 32, 16. *Avot* VI, 2.

2. R. JUDA LŒW BEN BEZALEL, *Guevourot HaChem* (Tel-Aviv, 1955), XXIV, p. 102. « “En vue de ceci.” Afin que je puisse accomplir Ses commandements, tels que ces offrandes de la Pâque, ces azymes, et ces herbes amères » (voir RACHI, *Exode* 13, 8).

3. Voir *Sefat Emet*, III, p. 102.

4. Voir Michée 7, 15.

boles nous montrent le chemin menant à la liberté intérieure[1]...). Donc, « voici la Loi de Pessah ». Le *zakhor*, le « rappel », « du jour de la sortie d'Égypte, de la maison de servitude[2] » devient une *mitsvah* active, un « commandement » assurant l'ordre pascal. Le soir du Séder est un soir d'allégresse, mais d'une allégresse vécue selon un Séder, un « ordre » rigoureux. Le Séder nous apprend que la liberté qu'il célèbre est inséparable d'un ordre divin. C'est dans cet ordre divin respecté jour après jour que réside la grandeur de la liberté.

La liberté est inconcevable sans le libre arbitre humain, en même temps inséparable d'un ordre divin, d'une discipline volontairement assumée par celui qui aspire vraiment à être libre

C'est cet ordre toraïque qui donne une liberté intérieure durable au peuple d'Israël, malgré les vicissitudes qui l'accablent ; c'est cet ordre toraïque qui fonde sa pérennité. « Israël est un peuple uniquement grâce à sa Torah », affirme, à juste titre, Rabbeinou Saadia Gaon (xe s.). Or, la Torah est une religion qui ne repose pas sur une croyance

1. Exode 12. *TB Berakhot* 17a. *Zohar* II, 40b, 182a ; III, 232b, 237b. Voir RABBEINOU BAHYA BEN ASHER, *Kad HaKémah* (Lemberg, 5640), *Pessah*, 1. R. YITSHAK ABRABANEL, *Peirouche al HaTorah* (Jérusalem, 5724), *Exode* 12, 15. *Derachot Maharal Mi-Prague* (Jérusalem, 5728), *Deracha LeChabbat HaGadol*. CHELAH HAKADOCHE, *Chenei Louhot HaBerit*, 3 vol. (Jérusalem, 5730-5732), II, p. 30b ; III, p. 79a-b ; voir aussi *Siddour Cha'ar HaChamayim* (Jérusalem, 5733), p. 513. R. MOÏSE HAYYIM LUZZATTO, *Dèrekh HaChem* (Jérusalem, 5741), IV, VIII, p. 161. R. CHELOMO EPHRAÏM LUNESCHITZ, *Keli Yakar*, Lev. 6, 9. *Sefat Emet*, II, p. 58 ; III, p. 26, 60, 103, 198. *Shem MiShemouël*, *VaYikra*, p. 198. R. A. Y. H KOUK, *Olat Re'yia*, II (Jérusalem, 5709), p. 244-245. *Orot HaKodèche* (Jérusalem, 5710), II, III, p. 182 ; *Orot HaEmouna* (Jérusalem, 5745), p. 82.

2. Exode 13, 3.

sentimentale et vague qui adoucit l'âme humaine : c'est une religion qui a la force d'une foi profonde, substantielle, traduite dans les lettres claires d'une loi, qui, appliquée avec ferveur et précision, fortifie l'âme humaine. L'homme libre veut faire ce qu'il doit faire. Il le doit non pas parce qu'un homme plus fort que lui le lui commande, ou qu'une société l'y oblige, mais parce que Dieu, qui le connaît parfaitement[1], car Il « l'a fait »[2], lui ordonne de faire ce qui est véritablement bon pour lui et ses semblables. Cet homme libre agit donc en sorte que « sa volonté réponde, corresponde — le plus possible — à Celle de Dieu[3] ». À l'homme qui s'efforce de « connaître Dieu[4] », ce devoir d'agir en conformité avec la volonté divine n'apparaît pas comme une renonciation à sa liberté de choix. Accepter ce devoir, c'est témoigner de son libre arbitre, privilège que Dieu a donné à l'homme. De ce don l'homme doit faire usage selon sa propre « force[5] » et avec l'« aide » de Dieu[6]. L'homme se réalise ainsi, librement et pleinement, en Dieu et par Dieu, dans la foi conduisant à l'action. Si la foi ne conduit pas à une action ordonnée, la liberté risque de se transformer en anarchie, son plus grand ennemi.

La liberté à laquelle le Séder, Pessah, nous invite est donc la liberté que la Torah nous enseigne. La liberté est le couronnement de toutes les libertés. L'homme qui aura respecté les nombreux préceptes de la Torah qui règlent les libertés parviendra à la vraie liberté.

---

1. Voir Psaumes 33, 15.
2. Voir Psaumes 100, 3.
3. Voir *Avot* II, 4.
4. Voir 1 Chroniques 28, 9.
5. Voir *Exode R.* 5, 9.
6. Voir *TB Soukkah* 52b.

Table des matières

Parole présente

Frederick Buechner, *Petit abc de théologie.*
Guy Bouret, *Sermons imprononçables.*
Maurice Bellet, *Le Dieu pervers.*
Jacques Durandeaux, *Une foi sans névrose ?*
Marie-Paule Defossez, *La Parole ensevelie ou l'Évangile des femmes.*
Robert de Montvalon, *Cinq milliards d'hommes qui se font peur.*
Jean Sullivan, *L'Exode.*
Bernard Ibal, *Aux risques de l'autre.*
Gérard Leroy, *Dieu est un droit de l'homme.*
Éric Goisbault, *À la recherche de l'unité intérieure.*
Georges Casalis, *Un semeur est sorti pour semer...*
Henri Madelin, *La Menace idéologique.*
Chantal Passot, *La souffrance des autres.*
Maxime Joinville-Ennezat, André Haim, Louis Astruc,
Geneviève Bunel, *Frères en Abraham.*
Pedro Casaldaliga, *Les Coqs de l'Araguaïa.*
Henri Bourgeois, Henri Denis, Maurice Jourjon, *Les Évêques et l'Église.*
Suzanne Tunc, *Brève histoire des chrétiennes.*
Miguel de Unamuno, *Journal intime* (trad. P. Prochon).
Collectif, *Variations johanniques* (direction : D. Bourg, Cl. Coulot et A. Lion).
René Boureau, *Dieu a des problèmes.*
Roland Sublon, *Voix et regards.*
Jean Granier, *La Sagesse artiste.*
Michel Massenet, *Jacob ou la Fraude.*
Éliane Amado Lévy-Valensi, *Job. Réponse à Jung.*

Michel Masson, *Élie ou l'appel du silence.*

Pierre-André Stucki, *L'existentialisme chrétien a-t-il une logique ?*

Jean-Pierre Jossua, *Le Livre des signes.*

Comité épiscopal France-Amérique latine, « *Dis-moi d'où tu viens...* »

Georges Rotheval, *D'esprit et de cœur, avec Georges Bernanos.*

Jean Plaquevent, *Franchir le seuil.*

Suzanne Tunc, *Les Femmes au pouvoir. Deux abbesses de Fontevraud aux XII*e *et XVII*e *siècles.*

Michel Bouttier, *Mots de passe. Tentatives pour saisir quelques termes insaisissables du Nouveau Testament.*

Rubem A. Alvez, *Le Mangeur de Paroles* (trad. D. Barrios-Delgado).

Hans Stercken, *Revenir à la vie* (trad. Pauline Teo).

Pierre Dentin, *Les Privilèges des papes devant l'Écriture et l'histoire.*

Edward Schillebeeckx, *Je suis un théologien heureux* (trad. J. Mignon).

Pierre Dentin, *Quel pape pour quelle Église ?*

Jean Moussé, *Jésus le roi des Juifs.*

Gaston Piétri, *Le Catholicisme à l'épreuve de la démocratie.*

Gilles Curien, *Diplomates et prophètes.*

Alexandre Safran, *Esquisse d'une éthique religieuse juive.*

· · · SAGIM · · ·

Achevé d'imprimer en octobre 1997
sur rotative Variquik par l'imprimerie
SAGIM à Courtry (77)

Imprimé en France

Dépôt légal : octobre 1997
N° d'édition : 10502
N° d'impression : 2499